DIÁLOGO ENTRE CIVILIZAÇÕES
o Irã contemporâneo e o Ocidente

Muhammad KHATAMI

DIÁLOGO ENTRE CIVILIZAÇÕES

O Irã contemporâneo e o Ocidente

attar
EDITORIAL

2006

Edição, tradução e apresentação:
Silvio Queiroz e Sergio Rizek

Revisão:
Edeval Silveira Júnior

Capa e diagramação:
Silvana Panzoldo

Dados Internacionais de Catalogação na Publicação (CIP)
(Câmara Brasileira do Livro, SP, Brasil)

Khatami, Muhammad
Diálogo entre civilizações : o Irã contemporâneo e o Ocidente / Muhammad Khatami ; [edição, tradução e apresentação Silvio Queiroz, Sergio Rizek]. — São Paulo : Attar Editorial, 2006.

Titulo original: Dialogue among civilizations

1. Cooperação internacional 2. Diálogo entre civilizações 3. Globalização 4. Irã - História 5. Irã - Relações exteriores 6. Islamismo - História 7. Política mundial - Século 21 I. Queiroz, Silvio. II. Rizek, Sergio. III. Titulo,

06-5067 CDD-320.905

Índices para catálogo sistemático:
1. Política mundial : Século 21 : Ciência política 320.905

ATTAR EDITORIAL
rua Madre Mazzarello, 336 cep 05454-040 São Paulo, SP
fone/fax: (011) 3021 2199 attar@attar.com.br
www.attar.com.br

SUMÁRIO

APRESENTAÇÃO

É paradoxal que o leitor brasileiro tenha a oportunidade inédita de conhecer as idéias de Muhammad Khatami, presidente da República Islâmica do Irã desde 1997, somente agora, um ano após a conclusão de seu segundo e último mandato, em 2 de agosto de 2005. Os textos e discursos aqui publicados, no entanto, mantêm sua vigência e interesse, pois tratam de questões essenciais à compreensão das bases históricas, culturais, políticas e espirituais que formam o cenário iraniano atual.

Integrante do clero xiita, politicamente dominante no país desde a Revolução Islâmica de 1979, liderada pelo aiatolá Khomeini, Seyed Khatami empreendeu nos oito anos como chefe de Estado intensivos e extensivos esforços para inserir o Irã no curso dos acontecimentos mundiais. Dirigiu-se ao Ocidente, tanto à Europa quanto aos Estados Unidos, propondo o diálogo aberto e franco entre o mundo islâmico e o ocidental – diálogo fundado no respeito mútuo e no reconhecimento pleno do direito de cada nação a reger o próprio destino. Internamente, buscou dar expressão organizada à sociedade civil como alicerce de um sistema verdadeiramente republicano e democrático, no sentido da subordinação dos poderes públicos à vontade manifesta da Nação.

As duas vertentes – a doméstica e a externa – deste projeto, de construir uma inédita democracia genuinamente islâmica, formam a substância de um corpo de pensamento cuja divulgação, sobretudo para a opinião pública do Ocidente, implica um convite à descoberta de um Irã e um Islam para além dos preconceitos cultivados ao longo das últimas décadas. A revolução liderada por Khomeini estremeceu uma monarquia autocrática de dois mil anos e desarranjou o tabuleiro geopolítico de pelo menos três regiões estratégicas (Golfo Pérsico, Oriente Médio e Ásia Central), em momento crucial da Guerra Fria. Por seu impacto formidável e duradouro, trouxe para o noticiário e o domínio público, inclusive no Brasil, termos como "fundamentalismo", "aiatolá" e "xiita". Este último, incorporado ao vocabulário político nacional como sinônimo de "extremista", "intolerante" ou mesmo "fanático", ilustra à perfeição a imagem estereotipada que se cristalizou entre nós – mesmo em segmentos considerados bem informados.

Não são poucos os que se surpreendem ao descobrir que Osama bin Laden e seus seguidores não são muçulmanos xiitas, mas sunitas, embora representem, no imaginário ocidental atual, o protótipo do "fundamentalista muçulmano", por décadas incorporado em Khomeini e nos religiosos iranianos com suas barbas e turbantes. É também recorrente a confusão entre Islam e Mundo Árabe. Embora muçulmano e fundado na Revelação em árabe do Livro Sagrado, o Corão, o Irã tem suas raízes também na mais que milenar cultura versada na língua persa e suas evoluções. A profunda permeação dessa vertente civilizatória pela mensagem corânica, bem como a adoção dos signos arábicos em sua própria escrita, incorporou ao Islam, no século sexto da era cristã, essa formação cultural e histórica, então remanescente, localizada no território da hoje denominada República Islâmica do Irã. Ainda que esta integração tenha ocorrido nos primórdios da constituição do Mundo Islâmico, de nenhum modo autoriza a inserção do Irã no rol de nações que hoje integram o Mundo Árabe, cuja identidade cultural e histórica está inextricavelmente enraizada no Islam.

Os escritos e discursos reunidos neste livro abrangem as variadas áreas de interesse abordadas por Seyed Khatami, desde antes de sua consagrada eleição para a presidência da República Islâmica, em 23 de maio de 1997. Até então, este filho de um destacado aiatolá militante, respeitado por sua sabedoria e seu espírito aberto, era um desconhecido no Ocidente, a não ser para observadores muito atentos da cena iraniana. Mas foi durante sua gestão como ministro da Cultura e Orientação Islâmica, nos anos de 1980, que o relaxamento da censura às artes permitiu a emergência do cinema iraniano nos meios intelectuais do Ocidente, com nomes como Abbas Kiarostami e Mohsen Makhmalbaf. A ousadia custou a Khatami um primeiro embate com a maioria conservadora do clero, que forçou o então presidente, o moderado aiotolá Ali Akbar Hashemi Rafsanjani, a remanejar seu auxiliar para a direção da Biblioteca Nacional. De lá, Muhammad Khatami se apresentou candidato à eleição presidencial de 1997 e, com votação maciça dos jovens e mulheres, surpreendeu os favoritos do *establishment*: obteve dois terços dos votos e tornou-se o novo presidente do Irã.

Alguns dos textos incluídos nesta edição são anteriores a 1997 e descortinam a gestação de um projeto político cuja palavra-chave é "reformas". Muhammad Khatami projetou-se como porta-voz de segmentos da sociedade que buscavam espaços para expressar-se e participar do processo político como nos primeiros anos da Revolução. O discurso de posse do novo presidente, intitulado "Pacto com a Nação", expressa essas aspirações em um programa de governo cujo cerne é apresentado como a materialização de dispositivos incrustados na Constituição da República Islâmica, mas até então mantidos em hibernação. Foi sob o governo de Khatami que se realizaram as primeiras eleições para órgãos de poder local na história do Irã. Milhões de cidadãos foram às urnas para a experiência inédita de eleger conselheiros municipais e (indiretamente) prefeitos, em 1999. No ano seguinte, foi a vez de renovar o *Majlis*, o Parlamento iraniano, pela primeira vez com a participação formal e oficial de uma miríade de protopartidos, coalizões, listas e outros incipientes movimentos políticos organizados, com programas e plataformas debatidas intensamente. Praticamente dois terços do novo *Majlis* pertencia ao campo dos políticos reformistas, aliados do presidente, entre eles, mulheres que se elegeram entre os deputados mais votados.

Sua reeleição em 2001, com esmagadora votação na casa dos 70%, não bastou para dar à maioria progressista do *Majlis* o poder efetivo de avançar na institucionalização da democracia islâmica e na adoção de reformas liberalizantes no terreno dos costumes e da vida social. Em especial, na promoção de direitos plenos de cidadania para as mulheres e no relaxamento da repressão individual a elas e aos jovens, ainda hoje sujeitos a sanções pela ação das milícias conservadoras e esquadrões de defesa da "moral islâmica". Estes, embora repetidamente questionados por abusos de poder, contam com o beneplácito de religiosos conservadores que dominam o Judiciário e o Conselho dos Guardiões, um dos centros nevrálgicos de poder na República Islâmica do Irã, cuja autoridade se sobrepõe à do *Majlis* e do próprio presidente. Sem falar na figura do Guia Espiritual, cuja autoridade é suprema e, na prática, vitalícia. Entronizado na Constituição islâmica para formalizar a liderança exercida pelo aiatolá Khomeini à base de carisma e persuasão, posto ocupado atualmente pelo aiatolá Ali Khamenei, o ex-presidente, firmemente identificado à facção conservadora do regime.

Foi a partir dessa posição de força que se traçou o destino da batalha decisiva para o projeto de reformas de Muhammad Khatami. Na eleição parlamentar de 2004, o Conselho dos Guardiões invocou seus poderes constitucionais e afastou da disputa os candidatos mais populares do campo reformista, começando por Reza Khatami, o irmão mais jovem do presidente e um dos deputados mais votados nas eleições de 1999, considerado "deficiente de credenciais" para integrar o *Majlis*. O alcance da manobra foi além do efeito imediato de restituir aos conservadores a maioria parlamentar. A frustração do eleitorado se expressou no índice de participação mais baixo dos últimos anos, perto dos 50%. A conquista da penúltima cidadela reformista abriu campo para uma campanha de aniquilação da incipiente imprensa independente que floresceu durante o primeiro mandato de Khatami. Jornais foram fechados em série, asfixiados jurídica e economicamente; jornalistas foram detidos, processados e condenados.

A "caça às bruxas" não reconheceu imunidade. Entre os reformistas ilustres que amargaram penas de prisão está um dos auxiliares mais próximos de Khatami, como Abdollah Nouri, ex-ministro do Interior e padrinho da liberdade de imprensa. Nem mesmo o aiatolá Hossein Ali Montazeri, autoridade religiosa acatada pelos sábios xiitas muito além das fronteiras persas, escapou a um período de prisão domiciliar e silêncio forçado. Montazeri, contemporâneo do pai do presidente, foi o mentor de Nouri e de uma geração de religiosos classificada nos primeiros anos da revolução como "aiatolás de esquerda", grupo de religiosos que resistiram – ou tentaram resistir – à escalada autoritária dos setores mais conservadores do novo regime. O próprio Montazeri denunciou detenções arbitrárias e a prática de tortura a presos políticos. Era, então, afilhado político e espiritual de Khomeini, que o nomeara seu sucessor na liderança da revolução e do regime. Mas caiu em desgraça em 1989, por ter-se oposto à sentença de morte, proferida por Khomeini, meses antes de sua morte, contra o escritor anglo-indiano Salman Rushdie por seu livro *Os versos satânicos*. Embora marginalizado, Montazeri seguiu dando aulas no seminário religioso na cidade de Qom, onde se formam os religiosos xiitas iranianos, e desenvolvendo seu pensamento político-religioso.

Nos últimos anos, o aiotolá Montazeri atacou diretamente os fundamentos religiosos da figura do Guia da Revolução – uma espécie de "quarto poder" da República, semelhante em alguma medida ao Poder Moderador exercido pelo imperador no Brasil monárquico do século XIX. Ele foi punido por se opor ao princípio de *velayat-e-faqih*, que pode ser traduzido como "primado do jurisconsulto". Ao Guia, que é escolhido por um órgão religioso virtualmente sob seu próprio controle, é conferida a posição de um elemento central do Islam desde seu primórdio: a precedência dos preceitos religiosos na administração da coisa pública. Por ironia, a sanção a Montazeri coincidiu com o veto dos Guardiões a um projeto de lei de iniciativa de Khatami, aprovado pelo *Majlis*, para discriminar as atribuições do presidente e do Guia e institucionalizar uma real divisão de poderes.

Igualmente irônico é constatar que o mesmo destino foi reservado, ao menos até aqui, para a expressão externa desse Islam em busca de atualidade e *aggiornamento*.* Domesticamente, Khatami propôs formas contemporâneas para dar vida a uma sociedade que buscava reencontrar-se com sua vasta tradição espiritual, após de mais de mil anos de absolutismo. Da mesma forma, o presidente iraniano desbravou caminhos para a inserção desse projeto no mundo globalizado, dominado pelo Ocidente com seu modelo padrão da democracia dita laica, embora sujeita à influência crescente de coalizões políticas fundadas em visões peculiares da religiosidade cristã – como se vê nos Estados Unidos, com a crescente influência da direita religiosa republicana. O termo fundamentalismo, vale lembrar, originou-se no contexto de discussões teológicas voltadas à reforma moral da sociedade americana do início do século 20, tendo em vista a restauração de valores cristãos considerados fundamentais para a vida pessoal e coletiva. A aplicação deste termo ao que esteja

* *Aggiornamento*, ou atualização, foi o nome dado em italiano para as reformas introduzidas na Igreja católica, no início dos anos 1960, pelo Concílio Vaticano II, convocado pelo papa João XXIII. Entre outras mudanças, foi abolida a obrigatoriedade de rezar a missa em latim.

ocorrendo no Irã e, mais amplamente, no Mundo Islâmico é, no mínimo, imprecisa e discutível. Tradicionalismo talvez seja termo e conceito mais adequado para compreender parte do que tem ocorrido nesse país, e em outros do Mundo Islâmico, pelo menos no que respeita à base propriamente religiosa e doutrinária islâmica de uma proposta ideológica de luta e afirmação política, especialmente no contexto dos conflitos e da convivência política entre as nações.

Ainda nos primeiros anos de mandato, Khatami dirigiu-se ao vivo e em pessoa aos cidadãos norte-americanos, em entrevista sem precedentes para a rede de TV CNN. Expôs seu apreço pela origem puritana da democracia americana e fez os primeiros acenos a um diálogo entre as civilizações islâmica e cristã, oriental e ocidental, nos marcos de um mundo em que fronteiras ideológicas e culturais sobrevivem ao ocaso das fronteiras físicas, e por vezes até as restauram e enrijecem.

"Diálogo entre Civilizações" foi o nome escolhido para a iniciativa que deu corpo e simbolizou a política externa do presidente iraniano: o ano de 2001 foi proclamado pela ONU o "Ano Internacional do Diálogo entre Civilizações", com uma agenda de programas e ações destinados a aproximar mundos ainda distantes entre si. É indicativo constatar, hoje, que esse convite ao diálogo está entre as quase três mil vítimas humanas sepultadas sob os escombros das Torres Gêmeas do World Trade Center, em Nova York. Na mesma cidade em que a ONU tem sua sede, os ecos dos atentados de 11 de setembro de 2001 sufocaram as palavras de Khatami à Assembléia Geral. Sobrevieram as invasões americanas ao Afeganistão (2001), antevista por Khatami em 1997, e ao Iraque (2003), e nos últimos meses uma manobra de cerco diplomático ao próprio Irã, acusado pela Casa Branca de nutrir ambições nucleares e abrigar terroristas – coincidência ou não, os mesmos motivos invocados por George W. Bush para o ataque aos vizinhos Afeganistão e Iraque.

O discurso com o qual Khatami apresentou às Nações Unidas o projeto do "Diálogo entre Civilizações", uma das peças centrais desta edição, não deve ser tomado neste momento como um rumor melancólico ou nostálgico, eco distante de um horizonte tornado impossível; ao contrário, nele pode-se encontrar o "fio da meada" para desatar os "nós" de uma convivência, esta sim, inescapável. Uma década de pós-Guerra Fria já permite que se atestem os perigos embutidos em um projeto de hegemonia universal e absoluta, fundada numa geopolítica unipolar, que produz e alimenta seus contrários, e que, sem controle sobre esse processo, dita apenas os termos da confrontação.

No discurso do então presidente iraniano à Assembléia Geral da ONU em 2001, consubstancia-se a plataforma para construir pontes entre civilizações afastadas no espaço e no tempo – como ocorreu pouco antes e durante o Renascimento europeu, quando a nascente civilização cristã ocidental absorveu do Islam a sabedoria recolhida da Antigüidade clássica greco-romana, acrescida das conquistas daquela civilização que iniciava seu declínio. Essa leitura da evolução humana como produto da interação entre culturas, tema dileto de Muhammad Khatami desde seus tempos de acadêmico exilado na Alemanha, no período pré-revolucionário, permeia vários textos deste livro, com destaque para a palestra proferida na Universidade Européia, em Florença, um dos centros irradiadores do Renascimento na Itália.

Este período de cerca de um ano, desde que Khatami deixou a presidência, entregando-a, pelo que transparece, a uma liderança emergente de forças sociais hostis ou descomprometidas com o ideário e projeto que buscou implementar, ainda não é suficiente para uma avaliação definitiva do grau e da longevidade desse aparente retrocesso e da possível reversão dos avanços políticos e sociais em que sua liderança e governo estiveram empenhados.

A despeito de tudo isto, os escritos e discursos de Khatami ainda soam menos como um réquiem do que como um legado de esperança. As questões e os desafios abordados nestes textos pelo estadista, filósofo, líder religioso e ativista da concórdia humana estão longe de terem sido respondidos ou vencidos pela lógica predominante do confronto, inclusive militar – expresso seja na guerra, na resistência armada às invasões anglo-americanas ou no terrorismo. No máximo, as respostas e propostas terão sido temporariamente adiadas em nome das urgências impostas pelo jogo do poder, doméstico ou mundial.

E ei-lo de volta à cena política, com toda amplitude e força persuasiva de sua estatura, reflexão, discurso e ação, notadamente na recente Conferência sobre o Islam e o Ocidente 2006, que teve lugar na Malásia. Ao retornar desta Conferência, em entrevista à imprensa no aeroporto de Teerã, em 15 de fevereiro de 2006, indagado sobre a controvérsia desencadeada pelas caricaturas difundidas pela imprensa, pretendendo representar o profeta Muhammad, assim se pronunciou:

"Ofender e insultar são diferentes de expressar uma opinião que possa ser analisada, discutida e, eventualmente, aceita ou rejeitada (...) mas, assim como o Ocidente, nós mesmos também temos problemas em relação a isto. Em lugar de uma crítica ou debate lógico, nós apenas continuamos a proferir ofensas ao liberalismo, à democracia e à modernidade. Eu já tive a oportunidade de dizer a algumas de nossas autoridades religiosas superiores que a religião do mundo de hoje é o 'liberalismo' e não temos direito nenhum de insultá-la. Não deveríamos continuar usando frases do tipo 'a cultura corrupta do Ocidente' etc em nossos discursos. No Sagrado Corão também está escrito: 'Não insultes os deuses dos outros, de outro modo, estarias ofendendo teu próprio Deus'".

Pouco antes, em novembro de 2005, no Instituto de Estudos Avançados de Berlim, ele faz outro alerta:

"Naturalmente podemos atribuir muitos significados gerais e não-históricos ao termo 'secularismo', mas transformar em uma questão não-histórica um assunto que, em toda sua existência, tem sido uma questão histórica é um erro gritante. (...) Secularismo é a experiência da cultura e do pensamento ocidental. Insistir em propagá-lo para lugares onde as bases intelectuais e as razões políticas e sociais para seu surgimento não estão presentes, independentemente do fato de este ser desejável ou não, é claramente um erro".

Por fim, para não nos estendermos por um debate mais amplo, cuja continuidade este livro pretende estimular ainda mais no Brasil, uma palavra de cautela se faz necessária. O Islam também constitui, assim como o cristianismo ocidental, um mosaico complexo de variantes culturais e teológicas, de pensamentos e práticas. No Mundo Islâmico, as tensões entre tradicionalismo e modernidade são intensas, como já o foram no Mundo Cristão Ocidental. O secularismo e os conceitos como "estado laico", "democracia" e "direitos civis e políticos" encontram dificuldades muito específicas e diversas no Mundo Islâmico. E não só: expressões como "estado islâmico", "direitos humanos" e "direitos da comunidade", a *umma* islâmica, e mais ainda suas práticas e concretizações sociais, são objeto de inúmeras controvérsias. Não existe o Islam monolítico e unitário que certo tipo de propaganda ocidental, beligerante ou ignorante, pretende impingir. Todavia, deixemos fluir em nós as palavras esperançosas e sábias do Seyed Muhammad Khatami.

Finalmente, gostaríamos de agradecer a Eduardo Machado e José Jorge de Carvalho por suas valiosas sugestões e contribuições.

CAPÍTULO 1

Nossa revolução e o futuro do Islam

As civilizações ascendem e decaem. Desde a aurora da História, este foi o destino das civilizações suméria, caldéia, assíria, chinesa, indiana, persa, grega, romana e islâmica[1]. *No seu zênite, o Islam atuou como fio condutor entre essas antigas civilizações e a era moderna. Hoje, é a civilização ocidental que reina suprema, projetando sua sombra sobre todos os cantos da terra.*

A INTERAÇÃO ENTRE CIVILIZAÇÕES

A menos que estejam completamente alheias à existência das demais, as civilizações ordinariamente transformam-se reciprocamente. Por exemplo, a civilização autóctone da América era completamente desconhecida para o mundo exterior até que os europeus descobrissem o continente. Uma vez feito o contato, a maciça onda de exploradores e imigrantes que conquistou o Novo Mundo não mais pôde ser contida. Dispondo de poder e recursos superiores, os recém-chegados subjugaram e destruíram implacavelmente a antiga

---

1. Cf. R. Arnaldez, L. Massignon e A. P. Youschkevitch, *La science arabe*, in Taton (ed.), *La science antique et médiévale: des origines a 1450*, Paris: Presses Universitaires de France, 1957.

civilização do continente. As ondas de imigrantes que tomaram de assalto as Américas acabaram por transformar a América do Norte no centro mais poderoso da civilização ocidental.

As trocas entre civilizações são a norma da História. Antes da descoberta das Américas, as civilizações da Ásia, África e Europa já estavam em contato desde a Antigüidade, transformando umas às outras em vários sentidos. Influenciado fundamentalmente pela civilização grega, o Islam desempenhou um papel mediador central, apresentando aos europeus as realizações do pensamento e da filosofia grega. Portanto, "novas" civilizações nunca são novas num sentido estrito, porque sempre se nutrem da produção das antecedentes, apropriando-se e metabolizando tudo que atenda a suas necessidades, e dispensando o que não lhes serve.

As principais fontes de emergência das civilizações

Entre os muitos fatores que estimulam o surgimento, a ascensão e o declínio das civilizações, dois são fundamentais: o dinamismo da mente humana e o concomitante florescimento de novas carências e necessidades na vida dos homens.

A mente humana é instintivamente ativa, guiada perpetuamente por uma curiosidade ardente que confronta uma cadeia infindável de novas questões, para as quais precisam ser encontradas respostas, ou a mente não descansará nem se contentará. Mas, uma vez feita uma descoberta, as novas respostas trazem à vista um mundo insondado, repleto de novas questões, em um processo cíclico perpétuo.

Ao mesmo tempo, os seres humanos lutam para satisfazer suas necessidades materiais, o que os chama a buscar um maior domínio sobre o mundo natural, por meio de invenções e inovações. A combinação desse anseio de dominar a natureza e o desejo de criar altera a composição material e psicológica do mundo humano, e cria novas carências e necessidades.

O dinamismo da constituição humana e a conseqüente busca de respostas para questões e necessidades prementes impulsionam a constante transformação da consciência histórica dos homens. E as mesmas duas qualidades humanas fundamentais que afirmam a inevitabilidade da mudança são também a causa da emergência e do declínio das civilizações. Embora outros fatores humanos, sociais e naturais possam retardar ou acelerar o surgimento e os intercâmbios entre civilizações, o desejo e a necessidade de mudança é o fator mais importante.

Toda civilização se baseia em uma cosmovisão específica, que por sua vez é moldada pela experiência histórica e as idiossincrasias de um povo. Enquanto a visão de mundo existente der conta das questões e necessidades fundamentais de uma comunidade, esta permanecerá intacta. Mas quando a consciência e a alma coletiva de um povo cresce além dos limites da civilização existente, começa efetivamente a busca por novas idéias, que muitas vezes toma a forma de um voltar-se a outras civilizações à procura de novos indícios. Este é o segredo do surgimento, florescimento e queda de todas as civilizações.

A crise das civilizações

Logo que nasce e, mais tarde, quando está prestes a desaparecer, cada civilização coloca seus integrantes em um estado de crise. No início, quando um novo contrato social se estabelece na história de um povo, e o terreno está maduro para o surgimento de uma nova civilização, o tecido social é permeável. Os arautos da nova civilização proclamam novos costumes e novas normas morais, freqüentemente revolucionários. Mas a civilização precedente não abandonará facilmente sua dominação entranhada e institucionalizada. Hábitos sociais formados historicamente são difíceis de romper. Grande parte da sociedade continua apegada a predileções mentais e emocionais da era anterior. A necessidade de desfazer-se das relações profundamente enraizadas e substituí-las por uma nova visão de mundo provoca uma dolorosa crise de identidade.

Ao mesmo tempo, a nova civilização ainda não foi testada na vida real. Suas contradições interiores estão ocultas, pois ainda não foram submetidas à prova da experiência. Para perdurar e criar raízes, a nova civilização precisa adaptar-se e sintonizar-se conforme se defronta com as realidades da vida social. Até que esse processo de adaptação e transformação prevaleça, a crise de identidade social será a norma.

O outro momento de crise, no ponto em que uma civilização está prestes a desaparecer, surge quando a cosmovisão dominante já não satisfaz as necessidades psicológicas, materiais e sociais de seus integrantes. As pessoas começam a experimentar um vazio e uma esterilidade perturbadores. Novamente, as predileções historicamente condicionadas que se tornaram anacrônicas não sairão de cena facilmente. Esse estado de "limbo" pode oferecer apenas um verniz de civilização, mas desprovida de alma e substância. Instala-se um vazio existencial que traz consigo uma crise de identidade sem precedentes.[2]

---

2. Este argumento não implica que os dois tipos de crise sejam necessariamente subseqüentes. As causas da conexão da "crise de morte" de uma civilização com a "crise de nascimento" de uma outra não devem ser vistas como idênticas: primeiro, meu enfoque está centrado sobre as crises que criam uma civilização, uma em seu apogeu e outra em seu crepúsculo, e não sobre a crise do final de uma e o nascimento de outra. Segundo, mesmo que a crise do final de uma civilização e a crise do nascimento de outra coincidissem, isto não significa que possamos vê-las como uma mesma e única crise, já que são qualitativamente diferentes em sua natu-

A idéia dessa discussão é levantar uma questão fundamental: em qual condição histórica está vivendo nossa sociedade, e o que sobrevirá a ela?

A crise no Ocidente

De fato, nossa era é a da dominação e afirmação da civilização ocidental, que está viva há mais de quatro séculos e progrediu a passos largos na ciência, na política e na regulamentação social. Mas temos de aceitar que o Ocidente está hoje diante de uma crise aguda e generalizada, que afeta suas idéias e as demais esferas. Os que estão familiarizados com a história da civilização ocidental e com suas expressões filosóficas, científicas e artísticas podem ver os sinais dessa crise. O Ocidente não se confrontou com uma crise de tal magnitude desde o século XVIII e parte do século XIX. Mas qual o significado da atual crise?

É possível afirmar que a civilização ocidental está exaurida e senil. Quatro séculos é um longo tempo para uma civilização, ainda que, no passado, tenha sido possível que civilizações vivessem mais do que isso. A ciência, a tecnologia e a comunicação eletrônica aceleraram como nunca o ritmo das mudanças. A vida da civilização ocidental, desde o Renascimento até hoje, não pode ser considerada curta, e tratá-la como velha não seria um exagero.

---

reza, do mesmo modo que a vida e a morte. Terceiro, não é assim tão de imediato que uma civilização morre e surja outra para substituí-la. Em vez disso, uma civilização vem, permanece por séculos e depois acaba. As diversas sociedades promovem diferentes semeaduras para as civilizações. Saber isto certamente requer uma investigação mais cautelosa, à qual este autor não teve a oportunidade de realizar. No entanto, não devemos duvidar das diferenças qualitativas entre essas duas classes de crise (N.A.).

Morte ou transformação?

Esta não é uma questão fácil de abordar. Algumas vezes, as crises são limitadas e temporárias. Isto ocorreu com freqüência na vida de civilizações que demonstraram a habilidade em enfrentar crises com sucesso e permanecer intactas. Por exemplo, no século XIX o Ocidente conseguiu com êxito superar a crise com que se confrontou.

A ordem capitalista, que representa um elemento central da civilização ocidental, encontrou grandes dificuldades na segunda metade do século XIX e nas duas guerras mundiais da primeira metade do século XX. Mas o marxismo veio em seu socorro, e o Ocidente soube modificar suas estruturas mentais e materiais para sair dessa crise.

A despeito das afirmações de seus protagonistas, creio que o marxismo era uma filosofia impraticável e irrealista. Precisamente por causa dessas deficiências e de sua inadaptabilidade não perdurou. Manteve-se de pé por setenta anos unicamente pelo uso da força e da propaganda. Mas ainda que Marx não tenha produzido uma filosofia sólida e abrangente, foi um grande patologista da ordem capitalista. As proposições dos marxistas forçaram o Ocidente a uma introspecção e à busca de caminhos para ajustar os métodos do capitalismo às exigências da época, e a modificar desde dentro sua ordem social, econômica e política. Uma das chaves da tática ocidental foi substituir seu antigo colonialismo – que estava semeando uma explosão mundial – pelo neocolonialismo. Isto permitiu ao Ocidente conter e dissolver a crise, retardando-a por algum tempo.

Mas e quanto à crise presente? Poderá o Ocidente atravessar ileso mais este difícil período? Não podemos prever isto com segurança, mas até aonde permitem as investigações e a compreensão humana, podemos colher evidências e observar a realidade empírica para chegar a uma teoria. Esta é uma importante tarefa para pesquisas acadêmicas objetivas e judiciosas.

Os antídotos do Ocidente para a crise

O Ocidente adotou uma estratégia similar àquela que utilizou no começo do século XX para contornar crises anteriores: modificar os meios do antigo colonialismo e transformá-lo em um neocolonialismo mais sofisticado. A chamada "nova ordem mundial" foi a nova estratégia do Ocidente para lidar com a crise que o abalou no próprio cerne.

Apresentando-se como os maiores patrocinadores e protetores da "nova ordem mundial", os Estados Unidos estão concentrados na tarefa de adaptar o neocolonialismo[3] aos novos tempos. A lógica desta transformação é similar à da mudança do velho colonialismo para o neocolonialismo. E há outras evidências que atestam o declínio da atual civilização ocidental. Mas, ao mesmo tempo em que é certo dizer que ela está ultrapassada e deteriorada, saber se ela chegou ao fim da linha requer mais reflexão e investigação. O que o futuro nos reserva?

A crise na nossa sociedade revolucionária

Nossa sociedade também confronta hoje uma crise, e, embora possa ser atribuída em parte às condições globais, diferente da crise do Ocidente. Com nossa revolução, tentamos

3. A própria questão da "nova ordem mundial" é um sinal evidente de que a ordem atual está submetida a sérias tensões por não satisfazer as necessidades fundamentais das pessoas. A intensa e sempre freqüente discussão sobre a "nova ordem", sobretudo no Ocidente, é por si mesma a prova da existência de uma crise ocidental e no resto do mundo. Não podemos desconsiderar o fato de que os poderes opressores, liderados pelos Estados Unidos, continuam seu esforço para manipular o modelo de mundo subdesenvolvido sob os auspícios da "nova ordem mundial". Este é um esforço para subverter e prevenir uma transformação fundamental na ordem atual que beneficiaria toda a humanidade. Há muito para falar sobre a "nova ordem mundial", mas deixaremos para outra ocasião (N.A.).

livrar-nos da dominação ocidental: decidimos lutar por nossa independência para sermos donos de nosso destino. Neste sentido, fizemos grandes avanços nas esferas política, econômica e cultural. Mas será possível que caiamos de novo nas armadilhas da dominação ocidental? Isso dependerá do caminho que escolhermos no futuro e de qual seja o futuro reservado ao Ocidente. A Revolução Islâmica foi um acontecimento importante na história da nação iraniana e da comunidade islâmica. Podemos certamente dizer que, por causa dela, nos desfizemos de muitos valores ocidentais importados que dominavam nosso pensamento. Dando-nos conta de nossa autêntica identidade cultural e histórica, assentamos alicerces completamente novos para a regulação de nossa sociedade.

Nossa revolução propôs a criação de um sistema com base religiosa, e a sociedade engajou-se com entusiasmo, dando grandes passos para alcançar essa meta. A crise que experimentamos hoje só poderá ser remediada se varrermos os vestígios de nossa identidade emprestada e vestirmos novos trajes. Nossa crise atual é a crise de nascimento à qual me referi anteriormente. Nossa nova civilização está prestes a emergir.

Não podemos confrontar esta crise com sobressaltos. Precisamos compreendê-la com audácia e inteligência. Somente quando tivermos entendido as questões históricas mais fundamentais desta época poderemos desenvolver a disposição necessária para resolvê-las.

Queremos basear nossas vidas nos princípios do Islam e criar uma civilização islâmica. Em uma época em que a atual civilização ocidental está passando por seus últimos dias, ou ao menos sofrendo os efeitos da decrepitude, devemos perguntar: a civilização islâmica já não surgiu e terminou há séculos? E a morte de uma civilização não significa que não podemos mais basear pensamentos e ações em seus modelos? Esta mesma regra não se aplica à nossa história? O advento e o desaparecimento da civilização islâmica não significam que a época do Islam, que projetou as bases para esta civilização, está terminada?

Se a resposta a esta questão for afirmativa, então nossa revolução não terá sido um esforço infrutífero de mover-se no sentido contrário às tradições de criação e às leis que governam a marcha das civilizações? Esta é uma das questões mais importantes e prementes que confrontam nossa revolução. Se não a abordarmos com equilíbrio e objetividade, se não pudermos encontrar uma resposta sólida a essas perguntas, nossa revolução encontrará, inevitavelmente, grandes perigos e dificuldades.

Minha resposta à questão acima é negativa. Mas, com esta resposta, não quero contradizer a regra que propus a respeito das civilizações. Em geral, creio que esta regra se mantém, mas com base na minha visão da religião, tomo este caso não como uma refutação do enunciado anterior, mas como algo que transcende seus limites. Pois o que cria uma civilização é a visão e o esforço humanos, enquanto a religião está acima e além da visão dos indivíduos e das sociedades, e portanto transcende as civilizações.

Se o sol se pôs para a civilização islâmica, a despeito de suas muitas e monumentais realizações, uma determinada visão da religião – que era apropriada àquele período – chegou ao fim, mas não a era da religião em si.

Uma das maiores dificuldades que as religiões têm encontrado, historicamente, advém da confusão entre ensinamentos religiosos específicos, concebidos para momentos e lugares específicos, e a idéia da religião em si. Naturalmente, com a obsolescência do pensamento religioso específico para determinadas épocas e lugares, alguns podem ter a impressão de que a era da religião também chegou ao fim. Mas a religião transcende civilizações específicas às quais tenha dado origem.

A civilização atende às necessidades e aos dilemas específicos de uma comunidade em uma época e um lugar particulares. Quando o tempo e as condições mudam, emergem novas questões que exigem novas respostas – e, portanto, uma nova civilização.

A religião, por outro lado, lança luz sobre questões da eternidade, traçando um caminho geral e atemporal para a humanidade, dando direção à vida a despeito das circunstâncias em permanente mudança. A religião guia os talentos humanos à sua meta mais elevada, incutindo nas pessoas um senso de dever, nas mais diferentes condições históricas.

Assim, se pensarmos na religião como algo idêntico à civilização ou cultura, então o fim de uma civilização implica necessariamente que o tempo desta religião também findou. Mas se acreditarmos que a religião se sobrepõe à civilização e à moralidade específica de uma comunidade, e as transcende, então a religião pode conter muitas interpretações diferentes, que podem dar origem a várias civilizações. As inevitáveis transformações da vida humana não causarão dano à vida eterna da religião.

Segundo esta visão, o cerne da religião possui tal dinamismo que, em qualquer época, pode oferecer respostas aos questionamentos e satisfação às necessidades. Assim, embora a antiga civilização islâmica tenha desaparecido, a religião continua profundamente enraizada e capaz de gerar novas civilizações, mesmo que tenham decaído as interpretações específicas da religião que geraram as antigas civilizações islâmicas.

A partir desse quadro geral, tentarei abordar algumas questões prementes que confrontam nossa sociedade atual.

Nossa visão de consolidar um sistema de governo religioso em uma sociedade orientada para o futuro não pode materializar-se no vácuo. Não podemos implementá-la sem manter um contato integral com a comunidade internacional. Cabe a nós esta importante tarefa em uma época em que a civilização ocidental domina o mundo. E no entanto, simultaneamente, temos de tentar nos libertar da dominação do Ocidente. Portanto, é natural que confrontemos o Ocidente, e o desfecho deste confronto determinará nosso futuro.

As duas faces do Ocidente

O Ocidente tem duas faces: uma política e a outra intelectual. Sua orientação política é a camada mais superficial da expressão ou manifestação de sua civilização. Os fundamentos intelectuais ilustram sua cosmovisão mais geral. Devemos distinguir cuidadosamente esses dois aspectos. Só assim encontraremos a maneira adequada de confrontar o Ocidente. Este caminho deve ser trilhado com prudência.

Ainda que a civilização ocidental tenha degenerado, ela mantém um tremendo poder político, econômico, militar e tecnológico, e maneja um formidável aparato de propaganda e comunicação capaz de manipular as percepções mundiais. Igualmente importante é o fato de que a economia global é controlada e regulada por instituições financeiras ocidentais.

Os avançados sistemas e instituições do Ocidente com freqüência legitimam seu poder político, assegurando para si presença decisiva em todos os acontecimentos de relevância global. O poderio militar do capitalismo ocidental também é vasto, e mesmo que aceitemos o fato de os pactos militares já não serem tão comuns quanto foram, é preciso admitir que o poderio militar do Ocidente permanece intacto.

Politicamente, o Ocidente aspira a governar todos os cantos do mundo e a monopolizar a teoria e a prática das relações internacionais. Simultaneamente, possui as fontes materiais e simbólicas do poder, e não se deterá diante de nada para atingir seus objetivos e proteger seus interesses. Nossa luta contra o Ocidente é de vida ou morte.

Em sua expressão política, o Ocidente não admite que nós – nem qualquer outro povo – sejamos independentes, livres, senhores de nosso destino. Pois, se uma das facetas do imperialismo ocidental é violar territórios e explorar suas economias, outra faceta concomitante é o domínio do mundo das idéias. O Ocidente propaga uma visão de mundo que atrai suas presas à subserviência.

Enfrentamos um inimigo determinado, que emprega todos os seus recursos materiais, militares e informativos para nos convencer de que nos devemos render, ou ser destruídos em caso de resistência. As amargas experiências de confrontos entre potências que aspiram à dominação e as massas oprimidas são por demais evidentes para que se possa escondê-las de quem quer que seja.

Na confrontação política, o inimigo usa a máscara da ciência e da cultura para nos ludibriar. Mas, na realidade, seu único intento é induzir os povos a renunciar a quaisquer ambições, render-se a seus desejos e servir a seus interesses, e assim apropriar-se de todos os recursos da vítima em favor da potência imperialista. Embora o Ocidente não tenha pudores em utilizar as técnicas mais violentas e repressivas, mesmo suas medidas militares abertamente opressivas vêm disfarçadas de atos humanitários, confundindo a opinião pública.

Quando potências coloniais violam os direitos de outros povos, nunca admitem que seu propósito é saquear seus recursos e subjugá-los politicamente. Em lugar disso, abusam de seu poder de persuasão no esforço de encobrir seus crimes com palavras e idéias aceitáveis para toda a humanidade. Desde os tempos antigos, as potências coloniais têm usado a desculpa de "desenvolver" e "civilizar" outros povos para agredi-los e rapinar seus territórios. Hoje, como antigamente, o *slogan* do Ocidente continua sendo a defesa da liberdade, dos direitos humanos e da democracia.

Nesta conjuntura, nossa luta contra o Ocidente é central para nossa sobrevivência. Qualquer forma de conciliação ou apaziguamento, dado o pendor do oponente para a fraude, não levará a nada senão aviltar e pisotear nosso orgulho. Temos de lutar contra isso com todas as forças, e a vitória não está fora de alcance. Devemos confiar em Deus e pedir que nos guie, apoiando-nos ao mesmo tempo na identidade histórica que reconquistamos com nossa revolução. Com fé no poder de um povo desperto, e fortalecendo nosso anseio por independência e liberdade, devemos opor-nos firmemente a um inimigo desprovido de motivações humanitárias. Isto é de fato possível. A tremenda resistência de nossa nação contra as conspirações e crimes dos opressores pode ser uma lição e um exemplo para todas as nações que desejam reconquistar sua independência e autodeterminação.

No entanto, embora possa ser catastrófico ignorar as conspirações e os objetivos políticos traiçoeiros do Ocidente, não podemos vê-lo em termos meramente políticos, nem reduzir sua civilização inteira a assuntos políticos. Isto igualmente nos levaria a um beco sem saída.

A civilização ocidental não se limita a seus aspectos políticos. Balizando sua política, há um sistema de valores e de pensamento que também precisamos compreender, e com o qual temos de aprender a lidar. Aqui, nos confrontamos com nosso oponente filosófico e moral, não apenas com um rival político. Para entender o Ocidente, a melhor ferramenta é a racionalidade, não o emocionalismo acalorado, as bandeiras desfraldadas. Neste ponto, e em ponto algum, o emprego da força não pode oferecer uma resposta efetiva a um modo de pensamento que consideramos vicioso. Seria contraproducente e resultaria em nossa própria derrota.

No entanto, atolados como estão na superficialidade e na frivolidade, é possível que os oportunistas escolham qualquer pensamento e cultura que sua audiência desgoste, lhe emprestem relevância política e os chamem de "conspiração para destruir suas bases políticas". Esta atitude não provém da contemplação, mas da necessidade de justificar sua reação irracional a pontos de vista conflitantes, o que apenas torna óbvia a necessidade de educação e de uma lógica mais poderosa. Isto é muito comum entre aqueles excessivamente politizados.

Recorrer à força é apropriado para confrontar uma invasão militar, uma conspiração, uma sabotagem política. Mas a maneira de se opor a um pensamento ou uma cultura não é lançar mão de meios militares, policiais ou judiciais, pois o uso da força apenas põe lenha na fogueira do adversário. Devemos confrontar os pensamentos do oponente com racionalidade e esclarecimento, contrapondo argumentos mais poderosos e convincentes. Só um pensamento abrangente e atrativo pode repelir este tipo de perigo. Se não possuímos essa lógica e esse conhecimento, obtê-los deve ser nossa prioridade. O Islam nos provê a capacidade. Se alguns muçulmanos são desprovidos dela, a falha é deles, não do Islam.

Se, Deus nos livre, algumas pessoas nos querem impor suas idéias rígidas sobre o Islam, chamando a isso de "religião de Deus" – uma vez que lhes falta a força intelectual para confrontar pensamentos opostos em outros termos –, recorrem ao fanatismo. Essas pessoas apenas prejudicam o Islam, sem atingir seus objetivos.

Quando rejeitamos o Ocidente, o que queremos é libertar-nos da dominação política, mental, cultural e econômica, pois, como muçulmanos, diferimos fundamentalmente dos ocidentais quanto à visão de mundo e valores. Portanto, para entendermos nossos pontos de discordância e resistirmos à dominação, não temos escolha senão avaliar e compreender o Ocidente precisa e objetivamente.

Devemos ter em mente que a civilização ocidental repousa na idéia de "liberdade" Este é, de fato, o valor mais acalentado pela humanidade em todas as eras. E, para falar com justiça, a marcha da civilização ocidental, desde a Idade Média, através dos séculos, até a Idade Moderna, tem rompido várias superstições e cadeias nas esferas do pensamento, da política e da vida social. De fato, o Ocidente libertou os homens do jugo de muitas tradições opressivas. Com sucesso, pôs de lado a deificação de um pensamento retrógrado que se impunha às massas em nome da religião, e também combateu a submissão a governos autocráticos. Esses são todos passos positivos e adaptáveis às tradições da criação. Porém, ao mesmo tempo, a visão do Ocidente sobre os homens e a liberdade tem sido rígida e unidimensional, e isso continua a cobrar um alto preço da humanidade.

Quando confrontamos o oponente, em nome de rejeitar o Ocidente e defender a religião, se suprimirmos a liberdade teremos causado uma grande catástrofe. Nem as tradições da criação o permitem, nem o Islam assim o deseja. Mas se rejeitar o Ocidente significa criticar sua visão da liberdade, da humanidade e do mundo, então teremos cumprido nossa missão histórica mais fundamental.

Efetivamente, nosso problema com o Ocidente é a noção de liberdade. Não acreditamos que a definição ocidental de liberdade seja completa, nem que sua visão assegure felicidade aos homens. O Ocidente está tão absorto em si mesmo, em seus pensamentos e suas raízes históricas, que não é capaz de ver as calamidades causadas por sua visão de humanidade e liberdade. Se observarmos o Ocidente a partir de fora, poderemos julgar objetivamente a questão. Mas cumprir essa importante tarefa requer muito rigor intelectual e conhecimento.

Os benefícios da experiência ocidental

À medida que a civilização ocidental se torna ultrapassada e senil, a humanidade hoje busca uma nova visão para o futuro, à espera de uma nova civilização mais capaz de suprir suas aspirações e necessidades materiais e espirituais. Com a Revolução Islâmica, nos aventuramos a criar um novo sistema cujos valores e visões diferem marcadamente daqueles que prevalecem no mundo sob domínio ocidental. Podemos afirmar que nossa revolução inaugura um novo capítulo na história humana?

Como foi observado acima, nenhuma civilização é independente das influências daquelas que a precederam. A natureza de nossa mente não permite que ela se desfaça completa e subitamente das experiências e do conhecimento de épocas anteriores. O segredo da evolução da vida humana no planeta é que cada pessoa e cada geração começa seu movimento no ponto em que chegaram seus ancestrais. Se todas as gerações partissem e chegassem aos mesmos pontos, o destino dos seres humanos não seria muito distinto da sorte das abelhas. Diferente de outros animais gregários, os homens aprendem com as experiências do passado, aprimoram-se e deixam suas realizações como legado para a geração seguinte. Esse processo tem continuado, ininterruptamente, desde que existe a espécie humana. Assim, não há limite para nossa evolução.

A civilização, que é o fruto dos empreendimentos intelectuais, emocionais e práticos dos homens, funciona da mesma maneira. Um pensamento vibrante, construtor de civilizações, é aquele que incorpora todos os aspectos positivos das civilizações precedentes, metaboliza-os e amplia-os com sua própria contribuição.

Agora, sobre a base de nossa revolução popular, queremos construir um sistema islâmico. Mas só podemos pensar que nossa revolução dará origem a uma nova civilização se tivermos a capacidade de absorver os aspectos positivos da civilização ocidental e a sabedoria de reconhecer seus aspectos negativos, para não incorporá-los. Se pudermos superar os obstáculos em que a civilização ocidental estagnou, por conta de seus valores, e se conseguirmos passar ilesos por eles, teremos sucesso em nossa missão.

Se precisamos adotar as facetas positivas da civilização ocidental, descartando suas deficiências, não temos escolha senão, antes de tudo, entender o Ocidente de maneira correta e abrangente. Precisamos julgá-lo justa e objetivamente, aprender com sua força e utilizá-la, evitando seus defeitos e confiando nos valores de nossa revolução. É óbvio que essa abordagem difere de uma apreciação rigorosamente política do Ocidente. Aqueles que não conseguem separar o que há de político e de não-político no Ocidente estão agindo contra os interesses da nação e da revolução islâmica, ainda que o façam inadvertidamente.

Nesse ponto, introspecção, racionalidade e objetividade serão eficazes, não as palavras rudes e a violência.

As dificuldades de nossa revolução

Com toda honestidade, pode-se dizer que nossa revolução tem sido fonte de grandes transformações em muitas partes do mundo, e nós, como fonte da revolução, somos naturalmente os mais afetados por essas transformações. Na esteira de nossa revolução, temos pela frente uma missão que é tão formidável quanto os desafios que confrontamos. Vencer esse difícil estágio requer muita sabedoria e precisão, assim como paciência e perseverança.

O Islam existe há séculos na consciência coletiva dos fiéis como um conjunto de idéias e valores, e nossa revolução o lançou na esfera política e social contemporânea, no qual se defronta com seus antagonistas. Ao mesmo tempo, o curso dos acontecimentos fez surgir três novos desafios: as expectativas de nosso povo, a má-fé e as conspirações dos inimigos estrangeiros e a discórdia no seio de nossa própria sociedade.

Em primeiro lugar, as expectativas do povo: agora que um novo sistema, com novas idéias, assumiu as rédeas do governo, as pessoas esperam muito dele. Isto é especialmente verdadeiro da parte de quem se sacrificou por ele. Antes da Revolução Islâmica, nosso povo não tinha muitas expectativas, porque nossa economia, cultura, sistema político e educacional eram dominados pelo inimigo, o que nos dava a sensação de não sermos senhores de nosso destino. Mas com a chegada ao poder de um governo islâmico e independente – com todos os recursos de Estado colocados nas mãos do Islam –, as pessoas têm o direito de esperar que suas necessidades e aspirações sejam satisfeitas.

As pessoas querem saber, especificamente, como o novo sistema vai regular suas vidas e garantir seus direitos. Também querem conhecer a política do novo sistema em relação à ciência e tecnologia, bem como à justiça e eqüidade social. A esta altura, as pessoas não ficarão satisfeitas apenas com promessas: querem resultados reais, práticos, tangíveis. Nosso sistema será bem-sucedido apenas se puder atender a essas expectativas.

Algumas expectativas são indubitavelmente irreais. Nenhum governo pode operar milagres da noite para o dia e desobstruir todos os gargalos da sociedade. E nem todas as expectativas do povo se baseiam em uma apreciação realista dos recursos disponíveis. É concebível que visões irreais, assim como ideologias impraticáveis e inatingíveis, tenham estimulado essas expectativas exageradas. Ainda assim, o governo deve ter o poder de satisfazer as necessidades das pessoas e conduzi-las a modificar suas visões e expectativas. Se não é possível satisfazer todas as expectativas – e não é –, ao menos as pessoas devem convencer-se de que nossa orientação geral aponta para uma melhor qualidade de vida e para o atendimento de suas necessidades materiais e espirituais.

Nossa sociedade precisa acreditar que aquilo que a revolução oferece e espera das pessoas vai atender, ao mesmo tempo, às necessidades individuais e sociais, empregando todas as realizações e os recursos humanos da sociedade. Deve acreditar, também, que nosso sistema não está contaminado com as carências e tensões que atormentam nossos antagonistas. As expectativas naturais do povo colocaram os funcionários e a elite governante sob forte pressão para que cumpram suas obrigações, e os inimigos atiçam as chamas das expectativas do povo de várias maneiras.

Em segundo lugar, a má-fé e conspirações do oponente: antes da vitória da revolução, tínhamos muitas discordâncias teóricas com as diferentes escolas de pensamento. Essas confrontações eram mais fáceis, porque não havia atrito real. Mas quando as idéias são colocadas em prática na esfera social e política, os oponentes sentem-se mais ameaçados e lançam-se a uma confrontação mais violenta e abrangente.

Conspirações para derrubar o sistema revolucionário, espionagem, pressões econômicas, difusão do pessimismo e do desânimo entre nosso povo, atribuindo aos funcionários do regime a responsabilidade por todos os problemas e retratando-os como incompetentes para atender às dificuldades das pessoas, até mesmo recorrer ao poder militar para minar a revolução e sua base popular – todas estas são ações empreendidas pelos oponentes, que vêem seus interesses ameaçados pelo novo sistema. Nossa grande nação experimentou neste período todos os tipos de conspirações inimigas. Justamente quando o sistema e seus administradores necessitam mais do que nunca de calma e otimismo na população, para poder concentrar todos os seus pensamentos e sua engenhosidade no atendimento das necessidades da sociedade, topamos com uma tempestade de ações inimigas que por vezes nos obriga a destinar nossos escassos recursos para neutralizar o perigo representado pelo inimigo externo e seus simpatizantes domésticos.

Essas são nossas maiores dificuldades no momento, e não há outro caminho senão enfrentar essa realidade. Em meio a essas dificuldades prementes, temos de perseverar e marchar em frente com paciência, confiança e sabedoria.

Em terceiro lugar vêm as discórdias no seio da sociedade: nos últimos cem anos, conhecemos dois males que debilitaram e minaram nosso tecido social. Estes males se tornaram crônicos e mais preocupantes neste momento delicado de nossa história. Um deles é o intelectualismo laico ou secular, e o outro, o dogmatismo religioso ignorante.

O intelectualismo secular

Nossa sociedade tem uma identidade religiosa. Em toda a história do xiismo, o clero desempenhou um papel crucial, alertando as pessoas para as patologias sociais, incitando-as a combater a injustiça, despertando sua identidade religiosa. Em nossa história, o Islam convidou permanentemente o povo a unir-se na crença religiosa, protegendo sua dignidade individual e social. Com seus apelos incessantes por justiça social, ao longo da história do Islam, os líderes religiosos populares serviram como os mais perspicazes patologistas e terapeutas sociais.

É por isso que as sociedades muçulmanas nunca acolheram uma imagem negativa da religião. Isto marca um forte contraste com as sociedades ocidentais, onde líderes religiosos inaptos e desorientados afastaram as pessoas da religião.

No mundo islâmico, em especial no Irã, sempre que os oprimidos se levantaram contra a tirania, seu movimento foi canalizado através da religião. As pessoas sempre puderam ver com os próprios olhos a face inflamada e corajosa dos revolucionários religiosos que se alçaram na luta contra a opressão e o despotismo.

Nossa consciência social está repleta de memórias dos choques entre os autênticos fiéis e os hipócritas que usaram a religião para justificar a miséria do povo. Nossa região do mundo testemunhou o antagonismo histórico entre a religião que busca a verdade e a justiça e as visões opressivas e desviadas da religião, que se tornaram ferramenta dos tiranos.

Não é verdadeiro que, na história do Islam, a religião se opôs a tiranias religiosas e seculares? Muitos dos que morreram pela verdade não eram ativistas religiosos? Não é certo que, nos últimos cem anos, a religião foi o grande paladino das lutas contra os agentes despóticos do colonialismo? A experiência das lutas religiosas não foi a mais bem-sucedida entre as experiências revolucionárias e nacionalistas, algumas delas dignas de louvor?

Nossa sociedade é religiosa, e é natural que os intelectuais seculares nunca tenham desfrutado de uma base social e do afeto do povo.

Infelizmente, o que foi chamado na nossa sociedade de "intelectualismo" tem sido um movimento superficial, apartado do povo. Nunca a voz desses autoproclamados intelectuais chegou além dos bares e cafés onde eles posam de oposição política. E mesmo que as pessoas chegassem a ouvir sua voz, ela soaria incompreensível. Portanto, entre esses intelectuais e o povo nunca houve um entendimento mútuo.

Se um intelectualismo com mentalidade pública veio à tona e conquistou respeito, foi por meio de gente que apresentou suas idéias em termos autênticos, tradicionais e religiosos. Esta foi a razão da enorme popularidade de figuras como Jalal Al-e Ahmad[4] e Ali Shariati.[5] Ambos foram verdadeiros intelectuais, e nossa sociedade sentia que eram parte do povo e se dirigiam a suas aflições e preocupações.

Os intelectuais seculares, conscientemente ou não, jogaram água no moinho do inimigo, o mesmo inimigo que é contra nossa independência, que se opõe à autêntica cultura, à religião e à liberdade do nosso povo. A história testemunha que esse grupo, no geral, esteve do lado de regimes despóticos apoiados por estrangeiros, e por vezes cooperou ativamente com eles. Mas felizmente, porque lhes faltam raízes mais profundas em nossa cultura e na alma do povo, nunca tiveram muito efeito. Também hoje acredito que os intelectuais seculares não apresentam um perigo real, em-

---

4. Jalal Al-e Ahmad (1923-1969), ensaísta iraniano. Consciente do caráter antiimperialista dos sábios muçulmanos de seu país, interpretou a história do Irã moderno denunciando o laicismo ocidentalizado e esclarecendo a sua geração dos efeitos da colonização cultural à qual denominou "intoxicação ocidental". Suas duas obras principais são *L'Occidentalité* (Gharbzadegui, l'Harmattan, Paris, 1988) e *Da traição e o servilismo dos intelectuais*, este último trabalho sendo publicado postumamente, impresso clandestinamente e difundido entre os religiosos politizados, em especial Seyed Ahmad Khomeini (m. 1995), o filho do Imame.

5. Ali Shariati (1933-1977), sociólogo iraniano, fez o doutorado em filologia persa em Paris, onde cultivou a amizade de intelectuais e islamólogos anticolonialistas como Louis Massignon (1883-1962) e Jacques Berque (1910-1995). Entre seus numerosos trabalhos figuram *Xiísmo vermelho e xiísmo negro*, *Fátima é Fátima* e *Sociologia do Islam*.

bora possam fomentar o caos na mente dos jovens e de outros segmentos mais suscetíveis da sociedade, nem oferecem um ponto de apoio ou um flanco aberto para que o inimigo penetre na sociedade.

O dogmatismo religioso

O outro problema maior que enfrentamos é o paroquialismo e as visões retrógradas dos dogmáticos. O dogmatismo religioso nada mais é do que atribuir santidade e eternidade a interpretações humanas, limitadas e incompletas, e dar primazia às emoções sobre a racionalidade e as avaliações realistas.

Se perguntarmos aos dogmáticos – que vêem a si mesmos como pensadores e intelectuais – o que eles esperam da revolução, dirão que anseiam por um retorno à civilização islâmica.

Devemos alertar essas pessoas de que seus anseios são anacrônicos. Os pensamentos específicos que alicerçavam a civilização islâmica cessaram com a morte dessa civilização. Se tivesse mantido seu dinamismo, sua relevância e a capacidade de fornecer respostas aos problemas das pessoas, aquela civilização teria perdurado.

O dogmatismo religioso representa o obstáculo mais formidável à institucionalização de um regime que deseja prover um modelo para o presente e o futuro da vida humana, um regime baseado em uma lógica mais poderosa que a das escolas e ideologias concorrentes.

O efeito do dogmatismo em nossa sociedade, que tem uma identidade religiosa, é imenso. Seu impacto negativo é maior que o do secularismo, porque os fiéis dogmáticos habitualmente projetam uma aura de legitimidade religiosa. Agem compelidos por dever religioso, mas não têm conexão com o Islam autêntico, com a revolução islâmica, com o presente ou com o futuro.

O Imame Khomeini, especialmente nos últimos dois anos de sua vida, estava profundamente preocupado com o perigo que o dogmatismo retrógrado significava para a revolução e o progresso e bem-estar da sociedade islâmica. Ao lado de todas as advertências do Imame, a vigilância diante deste fenômeno é crucial para nós e para o futuro da revolução islâmica.

A falta de uma intelectualidade religiosa

Agora, devo falar de uma das deficiências mais importantes de nossa sociedade nesta época delicada, na esperança de com isto instigar o debate entre os pensadores, quer eles aceitem ou rejeitem minhas proposições, ou as modifiquem. Na minha opinião, o maior defeito que temos na esfera do pensamento e do desenvolvimento é a ausência ou a debilidade de uma intelectualidade religiosa, embora o terreno me pareça fértil para que ela brote e cresça.

Um intelectual, segundo minha visão, é alguém que vive no seu tempo, que entende as questões e os problemas confrontados pela humanidade nesse período. Ele persegue incisivamente esse conhecimento e, porque entende os problemas atuais, representa a única esperança de se encontrarem as soluções. Pois como podemos esperar que alguém resolva uma questão se nem sabe que ela existe? Neste ponto, retidão moral não basta. Nem o conhecimento por si só. Alguém que tenha moral e que seja uma enciclopédia ambulante, mas que viva fora de seu tempo — para quem as questões mais prementes, por exemplo, são as do segundo ou terceiro século da era islâmica — não será capaz de resolver nem os menores problemas da atualidade, porque os problemas de hoje não lhe interessam.

Em contraste, a principal qualidade de um intelectual é viver sintonizado com seu tempo, assumir uma responsabilidade social, ter a mente permanentemente curiosa e inquieta quanto à realidade e aos destinos do homem. Um intelectual é aquele que respeita a racionalidade e o pensamento, e também conhece o valor da liberdade[6].

O QUE É SER FIEL?

O fiel é aquele cuja visão do ser transcende a pequena prisão da vida material. Embora veja os homens como parte da natureza, não os vê limitados ao mundo material. Ao invés disso, o fiel vê todo ser humano como algo maior que a própria natureza, pois esta é limitada, enquanto o homem é, de certo modo, ilimitado e eterno. Assim como as perguntas e necessidades humanas não conhecem limites, tempo e espaço não podem, por sua vez, limitar e circunscrever os homens dentro de suas obtusas fronteiras. Por essa razão, os seres humanos olham em direção ao futuro e ao passado e, com ajuda de suas faculdades, rompem os limites da natureza em busca de um caminho para transcendê-la.

O intelectual religioso ama a humanidade, entende seus problemas, sente-se responsável por seu destino e respeita a liberdade humana. Sente que os homens têm uma missão divina e quer liberdade para eles. Julga que tudo que obstrua o caminho do crescimento e da evolução humana é contrário à liberdade.

Nossa sociedade dinâmica, neste momento delicado, precisa muito de intelectuais religiosos. Aliando religião e intelectualidade, podemos esperar que nossa grande revolução islâmica seja anunciadora de uma nova era da história

---

6. Minha interpretação do intelectual é a costumeira. Uso este conceito para me referir a indivíduos da atualidade. Outros podem ter interpretações que não permitam uma combinação de intelectualismo e crença religiosa. Mas é injustificável que fiquemos confinados a interpretações preconcebidas de um certo grupo social (N.A.).

humana; separadas, cada uma delas colocará em perigo a saúde da sociedade.

Quando se menciona Deus para intelectuais seculares, eles dizem que preferem focalizar os seres humanos. Quando se menciona o homem para um religioso dogmático, ele diz que prefere a Deus. Mas o intelectual religioso busca "seres humanos à imagem de Deus", uma criação cujo surgimento é uma necessidade premente, hoje e sempre.

Espero que, por meio de nossa revolução e de uma conexão bem articulada entre essas duas esferas – ligando os seminários religiosos aos principais centros de pensamento do mundo de hoje, as universidades –, testemunharemos o surgimento do intelectual religioso. Este é um cenário que não sofre nem das deficiências da intelectualidade laica nem das do dogmatismo religioso. Um movimento como este deve tomar nos ombros a grande missão revolucionária de resolver esta crise de nascimento do nosso sistema, para benefício da humanidade, levando-nos em direção a um futuro repleto de conquistas e crescimento.

CAPÍTULO 2

Liberdade e desenvolvimento

Dar-Alfonun, a primeira escola técnica de ensino superior do Irã, foi inaugurada por Nasiruddin Shah[7] no dia 5 do mês *Rabi'I*, 1268 H. (27 de outubro de 1851 d.C.). Esse evento marcou o nascimento da idéia de "desenvolvimento" como a conhecemos hoje no Irã. Nossa forte preocupação em definir desenvolvimento, e em como atingi-lo, um século e meio após a fundação da escola, é um indício de que o desenvolvimento não foi alcançado. Precisamos tentar descobrir por quê.

Não quero, aqui, referir-me à complexa idéia de desenvolvimento cultural, e espero que a visão e o esforço de nossos eminentes pensadores evitem a ambigüidade do termo "desenvolvimento". Em vez disso, quero propor uma discussão geral acerca dos pré-requisitos culturais para o desenvolvimento, e não do significado do termo "desenvolvimento" em si mesmo. Em minha opinião, o desenvolvimento é uma forma de transformação desejável da sociedade. Em seu sentido contemporâneo, o desenvolvimento é apenas uma forma de transformação. Então, antes de tudo, é essencial considerar três pontos.

---

7. Sob o reinado de Nasiruddín Shah (1848-1896 d.C.), o quarto monarca da dinastia turca dos Qaÿar (1794-1925 d.C.), nascido em 1831, os britânicos obtiveram gigantescas concessões que lhes permitiram apoderar-se da economia iraniana.

Primeiro, nenhuma transformação será humanitária e produtiva a menos que as pessoas participem de forma consciente e de boa vontade desse processo de transformação. Segundo, a presença ativa e voluntária das pessoas no processo de desenvolvimento requer que um pensamento sério e estável esteja presente em amplos setores da sociedade. Terceiro, o pensamento sustentável e produtivo na sociedade tem de estar baseado, acima de tudo, na liberdade.

Assim, não podemos esperar nenhuma transformação positiva, sob nenhum aspecto, a menos que o anseio por liberdade seja satisfeito. Isto é, liberdade para pensar e segurança para expressar novos pensamentos. Do meu ponto de vista, o desenvolvimento é uma construção do Ocidente, e todos os que querem desenvolver-se precisam modernizar-se. Isso significa que o desenvolvimento, como definido atualmente, é um ramo da árvore da civilização moderna, e se abraçarmos essa civilização, também chegaremos ao desenvolvimento. Certamente, aqueles que apregoam que a adoção do pensamento e dos valores do Ocidente é uma precondição necessária ao desenvolvimento não estão equivocados: junto com o pensamento e a sabedoria ocidentais, o temperamento e a ética ocidentais precisam também ser adotados.

Mas também acredito que o desenvolvimento, como é concebido hoje, é somente uma forma de transformação e evolução da sociedade humana, e não a única e exclusiva versão ou possibilidade. Certamente, essa transformação e essa evolução trouxeram muitos benefícios para a humanidade, mas acho que causaram também muitos malefícios. Ao observar a civilização ocidental e a sua idéia de desenvolvimento, vejo que muitas realidades passaram despercebidas e foram ignoradas, com conseqüências devastadoras. Nós, que hoje discutimos o desenvolvimento, não podemos voltar quatrocentos anos no tempo, o ponto em que o Ocidente iniciou sua jornada para chegar onde está atualmente. Por outro lado, a vasta experiência dos ocidentais está agora diante de nós, e, se formos ponderados, escolheremos nosso caminho futuro com base nessa experiência. Isso significa que devemos avaliar os pontos fortes e as limitações da experiência ocidental para chegar a uma alternativa melhor e mais desejável.

Negar a exclusividade do progresso na sua forma atual, que tem sido chamada de desenvolvimento, não é negar as realidades da civilização moderna. Pode-se dizer com certeza que, em qualquer sociedade que queira avançar, nada de útil acontecerá a menos que as pessoas incorporem as conquistas da civilização ocidental, em vez de tentar evitá-las. Isso requer que nos familiarizemos com a civilização ocidental, que entremos em contato com o seu espírito, que é a modernidade. Os que não estão familiarizados com esse espírito não poderão efetuar uma mudança positiva em suas vidas. Assim, o principal critério de transformação é incorporar a civilização ocidental no próprio pensamento, e o objetivo dessa familiaridade com o Ocidente é entender os mais importantes princípios da modernidade, que estão ocultos sob muitas aparências. Lamentavelmente, nações como a nossa ainda não alcançaram essa compreensão. Como declarou Abdul Hadi Hairi,[8] ainda temos de nos familiarizar com as duas faces da civilização ocidental. Nosso encontro com o Ocidente tem sido predominantemente superficial. Oscilamos entre dois extremos igualmente nefastos: ou ficamos fascinados e somos absorvidos pelo Ocidente, ou o abominamos e rejeitamos.

Em minha opinião, a discussão sobre desenvolvimento requer um olhar fundamental sobre o que é a civilização ocidental e como nos relacionamos com ela. Se esse debate começar com seriedade, a discussão sobre desenvolvimento avançará mais rapidamente e com mais certezas.

---

8. Escritor e pensador iraniano, autor da obra *Shī'ism and constitutionalism in Iran: a study of the role played by the persian residents of Iraq in iranian policy*, E.J. Brill, Leiden, 1877.

Por que um século e meio depois da criação de *Dar-Alfonun*, a mãe do ensino científico moderno no Irã, ainda patinamos na mesma pergunta: o que é desenvolvimento e por que nós ainda não o alcançamos?

A tentativa de responder essa pergunta deve começar com o relato de um outro fato histórico. Numa sexta-feira, 17 de *Rabi'I*, 1268 H. (9 de novembro de 1851 d.C.), apenas doze dias depois de *Dar-Alfonun* ter sido inaugurada, Nasiruddin Shah mandou matar Amir Kabir[9] – o homem cuja visão e sabedoria conceberam aquela escola – na casa de banhos de Fin,[10] na cidade de Kashan. Para mim, o segredo de nosso mal-estar jaz ali.[11]

Séculos de nossa história foram governados não pelo esforço e atenção da gente desta terra, mas por governantes autocráticos e caprichosos. Graças ao autoritarismo e ao seu papel central, nosso povo não teve a oportunidade de participar ativamente de sua própria sociedade. A liberdade de pensamento, que é o mais elevado emblema do ser e a condição-chave da nossa presença no palco da História, bem como o principal ímpeto para o crescimento e o dinamismo na vida, não tem sido respeitada. Em outras palavras, o segredo de nossos maiores problemas históricos, como dizia al-Farabi, tem sido o domínio da mentira e da astúcia sobre o nosso destino, um engano que já estava profundamente arraigado mesmo antes do advento do Islam.

---

9. Mirzá Taqi Jan (1798-1851 d.C.), apelidado de Amir Kabir. Primeiro-ministro ou grão-vizir (1848-1851) de Nasiruddín Shah. Instituiu reformas nas finanças públicas e na administração; desenvolveu o comércio, a educação e a adoção de tecnologia ocidental. Foi obrigado a renunciar; exilado e assassinado como resultado de uma conspiração tramada por cortesãos descontentes.

10. Complexo denominado *Bagh-e Tariji-e Fin* ou *Bagh-e Amir Kabir en Fin*, a 8 quilômetros ao sudoeste da cidade de Kashan, que abriga um dos jardins mais esplêndidos do Irã.

11. As amplas reformas econômicas, políticas e militares empreendidas por Amir Kabir foram descontinuadas após sua queda.

A corrupção desenfreada no Irã sassânida,[12] pré-islâmico, levou o país à beira do abismo. Com a chegada do Islam, os fundamentos do engano começaram a estremecer. Mas foi apenas quarenta anos mais tarde, no período conhecido como Califado de Rashid,[13] que o autoritarismo, numa forma ainda mais perigosa, veio a governar o destino da comunidade islâmica. Nessa época, o autoritarismo e a tirania assumiram uma aparência de legitimidade religiosa.

Quando a civilização islâmica surgiu para substituir a civilização persa sassânida e outras civilizações, esperava-se que também as práticas políticas anteriores fossem substituídas. Houve muita esperança no novo ambiente político, especialmente no início da civilização islâmica. A legitimidade de conceitos como a tomada de decisões coletiva, ou a reconciliação e a supremacia do interesse público, foi defendida pela conduta do próprio Profeta e de certa forma pelos califas que o sucederam, especialmente pelo Imame Ali. Despontava um novo horizonte para o povo. Se esse processo tivesse tido continuidade, um pensamento mais autêntico e conseqüente poderia ter surgido, e a comunidade islâmica sem dúvida teria chegado a um destino diferente. Mas, lamentavelmente, a sombra escura da tirania começou a dominar os muçulmanos. Ainda mais lamentáveis foram os esforços empreendidos para legitimar essa tirania como pilar do novo estilo de vida. A forma autocrática da política tornou-se um legado, uma relíquia que levou ao declínio e à degradação dessa civilização.

Nessa atmosfera, a reflexão sobre os assuntos políticos foi silenciada, e o único pensador que se dedicou ao pensamento filosófico, político e cívico foi al-Farabi,[14] o fundador

---

12. A dinastia neopersa dos sassânidas se estendeu entre 226-651 H..

13. Harún ar-Rashíd Ibn al-Mansur (766-809 H.), califa abássida.

14. Abu Nasr Muhammad Ibn Tarajan Ibn Uzalag al-Farabi nasceu em Farab (Usbequistão) em 870 e morreu em Damasco em 950 d.C.. Filósofo, músico, físico e matemático, seus escritos tiveram uma orientação mais política

da filosofia islâmica, com o qual a idéia começa e termina ao mesmo tempo.[15] Depois dele, o pensamento deixou a esfera dos assuntos civis e, devido ao domínio do despotismo e suas conseqüências, a investigação profunda concentrou-se estritamente em fenômenos esotéricos e metafísicos. Pudemos ver que, apesar do avanço do conhecimento espiritual e sobrenatural, o pensamento filosófico na política, na sociedade e nas diferentes esferas sociais tornou-se quase completamente inativo.

Junto com a filosofia metafísica, outras formas de pensamento ligadas a correntes místicas, como o sufismo, ganharam aceitação, especialmente entre as elites. E, embora o sufismo possa ser interpretado em alguns casos como uma resposta às circunstâncias desagradáveis e infelizes deste mundo, foi uma resposta equivocada e infeliz. Em vez de desafiar a amarga realidade política vigente e buscar uma maneira de mudá-la, oferecendo realidades e visões alternativas, o sufismo, ao menos em suas versões mais extremadas,

---

que teológica e lhe garantiram o título de "o segundo mestre" (*al-muallim az-zani*) depois de Aristóteles). "Seguindo o caminho aberto por al-Kindi, al-Farabi foi o primeiro pensador do Islam a estabelecer uma classificação das ciências e do saber... Emérito teórico musical, estabeleceu certas correspondências entre a música e a matemática... Al-Farabi reconhecido como um dos maiores pensadores da civilização muçulmana" (Yves Thoraval, *Dictionnaire encyclopédique de l'Islam*, Paris: Bordas, 1991).

15. Al-Farabi em seu *Tratado das opiniões das pessoas da cidade ideal* (*Risala fi ara'ahl al-madinat al-fadila*) concebe seu Estado modelo como um organismo hierárquico comparável ao corpo humano. O governante, que corresponde ao coração, é auxiliado por funcionários que são servidos por outros de hierarquia inferior. O governante é intelectual e moralmente perfeito. A finalidade do organismo é o bem-estar de seus membros. Esta cidade ideal – inspirada na República de Platão –, na qual todos os justos e virtuosos jamais devem permitir que o poder caia em mãos dos comerciantes e inescrupulosos, é um exemplo fiel de como deve ser o Estado islâmico e o comportamento dos muçulmanos em sociedade. Cf. Abu Nasr al-Farabi: *Traité des opinions des habitants de la cité idéale*, Paris : J. Vrin, 1990.

resistiu à ordem política dominante negando a relevância conjunta da política e do pensamento político. Como disse al-Farabi, nessa seara, muitos místicos pregaram a teoria de que a compreensão e a salvação reais só poderiam advir pela negação de todos os bens terrenos, incluindo a sociedade civil. Ao rejeitar a política e afastar-se dela, eles abandonaram a sociedade nas mãos sujas de sangue dos autocratas. Em vez de combater a injustiça, mesmo não cooperando com os opressores, muitos fecharam os olhos.

Ao mesmo tempo, um tipo de isolamento e provincianismo começou a dominar os muçulmanos, marginalizando até mesmo a filosofia islâmica por ser esotérica e metafísica. O que ganhou notoriedade como pensamento político foi um sistema teórico-prático, aparentemente uma criação do famoso teólogo *shafi'i*[16] do período abássida, o principal magistrado de Bagdá, Abu al-Hassan al-Mawardi,[17] que escreveu o importante livro *Disposições de Governo*, ou *Mandamentos da Monarquia* (*Al-Ahkam al-Sultaniyyah*). A interpretação hanbalita[18] de al-Mawardi foi posteriormente publicada com o mesmo título por Ibn al-Farra'.[19] Esses dois livros legitimaram implicitamente o autoritarismo abássida[20] e também propuseram um sistema de leis baseado no pensamento islâmico para governar a sociedade muçulmana, cujo principal pilar de organização era a jurisprudência islâmica. Contudo, a própria lei

---

16. Escola de pensamento islâmico originária dos ensinamentos do teólogo e jurisconsulto Abu Abd Allah Muhammad Ibn Idrís ash-Shafi'i (767-820 H.).

17. Abu al-Hassan Alí Muhammad al-Mawardi (m.1058 H.).

18. Escola de pensamento islâmico inspirada nos preceitos do teólogo e jurista Ahmad Ibn Hanbal (780-855 H.).

19. Muhammad Abu Ya'la Ibn al-Farra' (990-1066 H.).

20. Dinastia que reinou entre 750-1258 H. sobre certas regiões do mundo islâmico. Cf. J. Vernet, *Los abbasidas y el fraccionamiento del califato*, Barcelona: Salvat, 1972.

religiosa depende do pensamento e não pode, por si mesma, dar forma e função aos pensamentos. Em qualquer sociedade que exista pensamento racional, a lei religiosa será vibrante, instrumental e adaptável. Por meio do pensamento racional, um jurista pode desenvolver um sistema de leis adaptável, apropriado e eficaz. Em vez disso, a lei religiosa, que supostamente estaria baseada no pensamento racional, tornou-se a base de sua própria forma e função.

Concomitantemente, uma forma diferente de pensamento político ganhava aceitação, tornando-se em essência o resgate do paradigma pré-islâmico já referido. Importantes pensadores, como Abul Hassan 'Amiri[21] e Ibn Muskûyeh,[22] ajudaram a trazer de volta a tradição pré-islâmica de autoritarismo da Pérsia antiga. O trabalho de Nizam al-Mulk[23] e al-Ghazzali[24] (se a parte final do *Nasihat al-Muluk* puder ser

---

21. Abul Hassan Muhammad Ibn Yusuf al-Amiri (m. 991 d.C.), filósofo iraniano proveniente de Nishapur (Khorassan). Influenciado pela filosofia grega de Platão e Empédocles, redigiu o *Livro sobre a noção de eternidade* (*Al-amad 'ala'l-abad*).

22. Abu Ali Ahmad Ibn Muhammad Ibn Yaqub Ibn Maskuyeh (c. 930-1030 d.C.) – chamado em árabe Ibn Miskawayh —, nascido em Ray e morto em Isfahán. Cientista, filósofo e historiador iraniano, conhecido por seu tratado de ética *Tahdhib al-ajilaq*, que influenciou a Nasiduddín at-Tusi (1201-1274), e por sua história universal *Kitab tajarib al-umam*.

23. Abu Ali Hassan Ibn Alí (1019-1092), conhecido como Nizam al-Mulk, político persa a serviço da dinastia turca dos seljúcidas. Vizir (ministro) dos sultões Alparslán (1063-72) e Malik Shah (1072-92). Escreveu o *Livro de governo* (*Seyasak Nameh*) que contém pontos de vista políticos e religiosos. Nizam al-Mulk nomeou al-Ghazzali diretor da *madrassa* (escola teológica) Nizamiya de Bagdá.

24. Abu Hamid Ibn Muhammad al-Ghazzali (1058-1111). Nascido em Gazzal e morto em Tus, na mesma província de Khorassan (Irã). Teólogo e jurista, autor de *A destruição dos filósofos* (*Tahafut al-falsifa*), em que afirma: "Portanto, temos de identificar como ímpios tanto os próprios filósofos, como os seus seguidores entre os filósofos islâmicos, como Avicena, al-Farabi e outros, por transmitir a filosofia de Aristóteles" (W. M. Watt, *The faith and Practice of al-Ghazzali*, Londres: George Allen & Unwin, 1953, p. 32-3). Esta obra

autenticamente atribuída a ele) cristalizou ainda mais esse autoritarismo, tornando-o um dos maiores obstáculos ao pensamento entre os muçulmanos.

Esse foi um desdobramento bastante infeliz, e ainda mais triste foi o fato de os muçulmanos tomarem sua desafortunada condição como destino manifesto, como obra inelutável de Deus e da natureza, impelindo as pessoas a não conceber nada além do autoritarismo na esfera da política. As pessoas ou se submeteram a esse destino, ou, mesmo quando pensaram em combater o autoritarismo existente, não conseguiram achar outro modo de resistência que não a força e a espada. Os confrontos no mundo das idéias, em lugar de revelar as raízes do autoritarismo, enredaram-se em disputas partidárias. Se um grupo achava que seus próprios interesses eram protegidos pelos governantes, cooperava com eles; mas, se seus interesses fossem ameaçados, então combatia o governo. O exemplo mais recente foi a simbiose do alto clero xiita com os déspotas autocráticos xiitas safávidas,[25] no qual os primeiros justificavam o governo dos últimos. Bem menos comum na história do nosso pensamento político é o questionamento da própria natureza do autoritarismo e a busca dos meios para superá-lo.

---

polêmica de Gazzali foi refutada por Averroes (Ibn Rushd) em seu *A destruição da destruição* (*Tahafut al-Tahafut*): Em certo momento diz o médico-filósofo cordobês: "Negar a existência das causas eficientes que se observam em coisas sensíveis é sofístico... A negação da causa implica a negação do conhecimento, e a negação do conhecimento implica, na verdade, que nada no mundo se possa conhecer" (Ibn Rushd, *Tahafut al-Tahafut*, trad. inglesa de S. Van der Bergh, Londres, E.J.W. Gibb Memorial Series, v. I, p. 317). "Foram os fanáticos e os dogmáticos inflexíveis que provocaram o colapso da ciência e da cultura muçulmanas. Seyed Amir Ali (1849-1924) identifica a al-Ashari, Ibn Hanbal, al-Ghazzali e Ibn Taymiyya como os mais responsáveis" (P. Hoodhboy, *Islam and science: religious orthodoxy and the battle for rationality*, Londres: Zed Books, 1991).

25. Dinastia de origem turco-azerí que reinou entre 1502-1736. R. Savory, *Iran under the Safavids*, Cambridge, 1980.

A partir dessa discussão histórica geral, vou agora tentar lançar luz sobre o problema do nosso próprio subdesenvolvimento e de por quê, um século e meio depois da fundação de *Dar-Alfonun*, ainda estamos no primeiro passo. De novo, transformação e progresso requerem pensamento, e o este só floresce numa atmosfera de liberdade. Mas a nossa história não permitiu que o caráter humano crescesse e fosse apreciado. Assim, o anseio humano básico de pensar e ser livre tem sido negligenciado, na melhor das hipóteses, ou negado, na pior.

Nos últimos duzentos anos, encontramos um problema adicional, a saber, o autoritarismo e a ditadura, de tipo ainda mais perigoso e destrutivo, que tomaram conta da nossa sociedade. Nesse período, o horrendo fenômeno do colonialismo espalhou-se pelo mundo, afligindo-nos com uma ditadura dependente do colonialismo. A ditadura não parecia mais ser a de uma poderosa tribo ou país que nos dominava, mas adquiriu a forma de um autoritarismo interno voltado a defender os interesses do colonizador global. Potências imperialistas estrangeiras quiseram roubar todos os nossos recursos materiais e espirituais, sustentando as ditaduras locais como ferramentas dóceis e complacentes para a realização de seus objetivos.

Infelizmente, por causa do que nos aconteceu, nosso temperamento não foi treinado para ser receptivo à liberdade, a tal ponto que, nos últimos cinqüenta anos, a cada vez que o terreno era fértil para que experimentássemos a liberdade, desperdiçamos a oportunidade.

No rescaldo dos acontecimentos de 25 de agosto de 1941, quando uma atmosfera de relativa liberdade atingia o Irã, os movimentos sociais tornaram-se confusos e fracos, e oportunistas tentaram usar essa liberdade para monopolizar o poder. Mãos estrangeiras conspiraram para não permitir que uma ordem natural de liberdade frutificasse em nossa sociedade. Esse estado de caos, agravado pela traição de alguns setores e pela conspiração de estrangeiros, criou uma situação que acabou levando ao sinistro golpe de Estado de 1953.[26] Finalmente, a Revolução Islâmica nos veio resgatar, mostrando-nos mais uma vez a bela face da liberdade.

Hoje, o que quer que os adeptos e críticos dessa revolução pensem, têm de admitir, a bem da própria honestidade, que o Irã da Revolução Islâmica possui duas características distintas. Primeiro, enquanto em países (terceiro-mundistas ou emergentes) como o nosso, as lutas anticolonialistas freqüentemente assumem forma militarista; no nosso caso o autoritarismo sustentado pelo imperialismo não foi derrubado apenas pela força das armas, mas pela presença das massas e pelo poder do discurso e do esclarecimento. E, segundo, a revolução começou sua vida com liberdade, sem repressão, tanto que nos primeiros anos, depois da sua vitória, ela ainda estava à beira da anarquia. Mas, como o despotismo se tornou a nossa segunda natureza, graças ao nosso passado sombrio, fomos incapazes de nos beneficiar apropriadamente dessa liberdade. Sem dúvida, a mão estrangeira que em mais de dois séculos, de forma aberta ou encoberta, intrometeu-se em nossos assuntos internos, não ficou passiva: por meio da conspiração e de seus agentes invisíveis, impediu que nos familiarizássemos com a liberdade de um modo natural, aprendêssemos suas vantagens e lidássemos com seus desafios.

Em nossas universidades houve grupos que se engajaram na luta armada para derrubar o governo. Uma atmosfera destrutiva fez que todos os partidos passassem a suspeitar uns dos outros. E, naturalmente, os líderes da revolução não

---

26. "Em 22 de agosto de 1952 o contragolpe já havia terminado. O Xá estava de volta ao seu palácio e os partidários de Mossadeq se escondiam e eram perseguidos... Teerã dava a impressão de uma cidade conquistada, com as tropas e a polícia leais ao Xá fazendo justiça com as próprias mãos e executando qualquer suspeito de apoiar Mossadeq... A verdadeira sede da autoridade naqueles dias era a embaixada americana e não o palácio de Niavaran" (M. Heikai: *El regreso del Ayatollah: la revolución iraní de Mossadeq a Khomeini*, Barcelona: Editorial Argos Vergara, 1982, p. 72).

poderiam ficar apenas olhando e deixar que se repetisse a amarga experiência de 1953. Assim, para governar o país, medidas extremas tiveram de ser adotadas para impedir a completa anarquia. Ao mesmo tempo, as circunstâncias extenuantes depois da revolução forneceram algumas justificativas para suprimir a liberdade — encarada como fonte de perturbação da sociedade — em vez de buscar entender os obstáculos históricos à liberdade. Eles encobriram sua abordagem estreita sob a capa da religião, quando, de fato, sua religião não nada mais era que uma série de hábitos mentais e emocionais, hábitos que seriam questionados numa atmosfera na qual as idéias convivessem livremente. Assim, houve muitas pessoas que, em vez de investigar as raízes e causas que levaram a liberdade a degenerar em anarquia e destruição, começaram a opor-se à liberdade. Querendo ou não, tomaram os interesses religiosos e nacionais como opostos à liberdade.

Destruir a atmosfera de paz em nome da liberdade e destruir a liberdade em nome da religião e do interesse nacional representam dois lados da mesma moeda, ambos sintomas da doença histórica que nos acometeu, provocada por séculos de governo despótico que moldaram nosso temperamento e o tornaram incompatível com a liberdade. Ao investigar a fonte de nossos problemas, não podemos culpar apenas o governo. Antes disso, nós mesmos precisamos aprender a ser merecedores da liberdade e dos direitos. Hoje, nas universidades, nas escolas, nos lares, somos incapazes de exercer a tolerância uns com os outros. Que não haja dúvidas: a menos que passemos por uma transformação interna, não poderemos esperar que forças externas resolvam nossos problemas para nós. Temos de entender que a experiência da liberdade não vem facilmente e que essa questão tem dois princípios fundamentais.

Primeiro, os efeitos do despotismo tornaram-se nossa segunda natureza. Somos todos individualmente ditadores à nossa própria maneira, e essa infeliz condição é evidente em todos os estratos e esferas de nossa sociedade. E, segundo, queremos experimentar a liberdade num mundo que é dominado por forças poderosas que pensam apenas nos próprios interesses, interesses que acreditam estar em conflito com a liberdade dos outros países, sobre os quais exercem seu imenso poder político, militar, informativo e econômico. Portanto, se reconhecemos que a experiência de liberdade encontrou dificuldades em países como o nosso, não podemos menosprezar a conspiração estrangeira.

Aqui enfrentamos um paradoxo. De um lado, crescimento e progresso não são possíveis sem liberdade, e, de outro lado, a liberdade não se materializará nem será sustentável a menos que a sociedade seja madura e progressista. O que fazer?

Acredito que, se formos justos e profundos em nosso pensamento, chegaremos à conclusão de que a liberdade tem prioridade sobre o desenvolvimento. Naturalmente, o caminho para a libertação e a liberdade é repleto de perigos e dificuldades. Novamente, o que quero dizer com liberdade é a liberdade de pensar e a segurança para expressar novos pensamentos, e a instituição de um sistema de proteção para a segurança de espíritos livres e pensadores. Mais importante, creio, é ser praticamente impossível suprimir o pensamento, pois, se vivermos numa atmosfera de liberdade, o pensamento fluirá de maneira equilibrada e moderada, e a racionalidade prevalecerá, na medida em que o poder de escolha e o progresso tornam-se acessíveis ao povo. Mas, se há falta de liberdade, os pensamentos que inevitavelmente surgirão na mente dos pensadores ocorrerão na clandestinidade, e poderão eclodir em formas violentas e explosivas por meio dos atos daqueles que não crêem no discurso reflexivo e pacífico. É necessário explorar a relação entre liberdade e segurança nacional e o efeito positivo de um sobre o outro, assim como o efeito destrutivo da falta de liberdade sobre a estabilidade social.

O resultado desejado é que a elite e os pensadores cheguem ao consenso de que, no mundo de hoje, não devemos buscar um "leito de Procusto",[27] um modelo único de liberdade para todas as nações. Enquanto a essência da liberdade é a mesma, com base em suas diferentes condições sociais e experiências históricas, diferentes nações podem experimentá-la em diferentes formas, e escolher diferentes caminhos e prioridades quanto às demandas da liberdade.

Devemos tentar criar a atmosfera adequada para que possamos estender a tolerância uns aos outros mais facilmente e compartilhar a visão de liberdade de cada um, compartilhar nossas expectativas e prioridades essenciais, fundamentando-as no critério da lei, assegurando a sobrevivência e a proteção da liberdade. É numa atmosfera assim que o nosso progresso será estimulado, garantindo um futuro mais luminoso para nosso povo.

---

27. Sobrenome de um bandido, chamado também Damastes e Polipemón, que vivia na rota entre Megara e Atenas. Procusto possuía duas camas, uma curta e outra comprida, e obrigava os viajantes a deitarem-se em uma delas: os de estatura maior, na menor – e para adaptá-los à cama, cortava os pés –, os de baixa estatura, na grande – e então esticava-os violentamente para encompridá-los. Foi morto por Teseu (P. Grimal, *Dicionário de mitologia grega e romana*, Rio de Janeiro: Bertrand Brasil, 1992) (N.E.).

CAPÍTULO 3

Tradição, modernidade e desenvolvimento

Pensar o significado dos três conceitos acima e compreender seu inter-relacionamento é uma das mais urgentes preocupações dos pensadores de nossa época, especialmente em países não-ocidentais. Um olhar superficial sobre esses termos pode levar-nos a concluir, prematuramente, que a modernidade é um fenômeno ocidental, construído a partir do desmantelamento da tradição. Só então teria lugar o desenvolvimento, visto como o resultado da modernidade, transformado em objetivo estratégico máximo dos que estão fora da esfera de pensamento e valores ocidentais. A partir dessas suposições, pode-se chegar a conclusão simplista de que para alcançar o desenvolvimento é necessário embarcar na modernidade, e a de que a modernização só pode surgir por meio do desmantelamento da tradição.

Mas essas suposições arbitrárias só conseguem satisfazer aos medíocres, ou aos que não sentem nenhuma responsabilidade em relação ao destino humano. O problema é demasiado complexo para ser resolvido com soluções simplistas. A tradição não pode ser transformada com meras receitas, nem a modernização acontece facilmente, pois, até que as pessoas mudem a si próprias, nenhuma transformação mágica ocorrerá em suas vidas, e a transformação das pessoas é um tema altamente complexo, cuja abordagem exige instrumentos nem sempre disponíveis aos indivíduos.

Termos como "tradição", "modernidade" e "desenvolvimento" estão repletos de ambigüidade, e estamos longe de um consenso sobre como defini-los. De fato, esse consenso poderá jamais ocorrer. Para minimizar mal-entendidos, todos os que estão envolvidos nesse debate devem especificar claramente o que querem dizer com esses termos, antes de prestar-se a propor suas fórmulas e teorias.

O que significa, para mim, modernidade e tradição? Quando falamos de modernidade, estamos certamente falando de fenômenos e instituições inovadoras e evoluídas. Mas todos os novos fenômenos são modernos? Ou a modernidade marca uma era específica na história? A sociedade humana, mesmo em suas formas mais primitivas da Antigüidade, sempre esteve em evolução. A diferença essencial entre o mundo antigo e a era moderna não está na natureza estática do velho em contraposição ao dinamismo do moderno, mas na lentidão das mudanças no mundo antigo e no ritmo vertiginoso das mudanças na modernidade. Deixando de lado, por um momento, o intricado debate sobre a relação entre civilização e cultura, é justo assumir que cada cultura se harmoniza e se adapta a uma civilização específica. A civilização moderna surgiu com o desmantelamento da civilização anterior e a substituição da cultura correspondente à velha civilização. A civilização moderna, então, introduziu uma cultura coerente com suas necessidades.

A tradição, por definição, lida com o passado, mas não devemos pensar que todas as coisas antigas denotem tradição. Falamos de tradições divinas ou tradições naturais que são consideradas constantes e imutáveis pelos que as enunciam. As leis que governam a existência são tradições divinas ou naturais. É possível que os humanos cometam erros ao enunciar essas leis, e depois reconheçam seus erros, mas o que muda aqui é o entendimento das leis, e não as leis em si. Podemos aceitar o princípio da mudança e da instabilidade na essência do mundo, como Sadr al-Muta'allehin[28] – entre os grandes filósofos muçulmanos – acredita em "essências dinâmicas", ou como os marxistas vêem o mundo sendo movido pelas contradições internas e, portanto, imerso num estado de constante transformação. Assim, o princípio da mudança é permanente para tudo.

Segundo meu ponto de vista, a tradição é um assunto humano pertencente às predisposições mentais e emocionais de um povo. Em outras palavras, a tradição compreende pensamentos, crenças e fatos que são familiares a um povo, e institucionalizados na sociedade com base em práticas do passado.

Por essa definição, a tradição é semelhante à cultura, e em muitos casos a própria tradição é símbolo de cultura, mas não podemos pensar que toda cultura seja tradicional. A tradição é a cultura existente numa sociedade que já possuiu uma civilização compatível. Mas, agora, embora sua antiga civilização tenha decaído, aspectos de sua cultura correspondente permanecem profundamente arraigados. Com civilização, não me refiro somente às civilizações avançadas e complexas, mas a um modo específico de vida amplamente definido. Assim, tribos de caçadores e coletores também tinham uma civilização; na verdade, desde que a sociedade humana existe, há civilização.

A existência de uma cultura do passado no presente, quando sua civilização de base já decaiu, é possível porque a

---

28. Sadr al-Muta'allehin (literalmente, "o líder dos adoradores de Deus") é o sobrenome de Sadruddín Muhammad Shirazi (1571-1640), mais conhecido por Mulá Sadrá. Filósofo e místico iraniano, um dos principais representantes da escola de *Ishraq*, ou a filosofia da "iluminação". "Sua maior obra *As quatro viagens do espírito* (*Al-Asfar al-arba'a*), é uma somatória de tudo o que viveram, até ali, a maioria dos pensadores do Irã" (H. Corbin, *Histoire de la philosophie islamique*, Paris: Gallimard, 1964). Cf. M. C. Hernández, *Historia del pensamiento en el mundo islámico: desde Ibn Jaldún a nuestros días*, Alianza, Madri, 1996, Cap. 3. "El pensamiento islámico de los siglos XVI-XVIII", p. 728-32.

cultura cria raízes profundas nos seres humanos e pode ser mais duradoura do que a civilização subjacente. Muitos legados culturais podem durar mais que as civilizações. Em outras palavras, a tradição é o reflexo da cultura passada na vida contemporânea, mesmo que a civilização tenha mudado.

Quando uma nova civilização é criada e a sua cultura correspondente encontra-se enraizada, as pessoas que ainda carregam vestígios da cultura anterior experimentam uma contradição ante a nova civilização. De um lado, as realidades da vida são afetadas pela civilização moderna, mas, de outro, muito do que se contrapõe à civilização moderna também permanece. Povos e nações como a nossa são profundamente afetados por essa contradição. A maioria das incertezas culturais em nossa sociedade, que tem vastas diferenças com o Ocidente, é atribuível a essa contradição, a qual, até ser resolvida desde a raiz, continuará gerando crises.

A sociedade ocidental abraçou a civilização moderna rompendo com a tradição. O princípio da civilização moderna pôde ser visto no momento em que os pensamentos e os valores da igreja católica e as tradições sociais e econômicas do feudalismo foram questionados e rejeitados. O vencedor desse desafio e o líder desse sistema de valores foi a civilização moderna. Os fundamentos desse sistema foram exportados da Europa para a América, e daí para pontos distantes do mundo, tornando-se dominantes e afetando a vida em nosso país.

Entretanto, nossa cultura passada continua a viver dentro de nós; uma cultura que tem profundas diferenças e desacordos com a cultura ocidental. Em outras palavras, nossa tradição é mais apropriada para integrar outra civilização, que não mais existe; e a fronteira da atual civilização expandiu-se e nos tem afetado fundamentalmente.

Como todos sabemos, essa civilização se estabeleceu sobre as ruínas da civilização medieval no Ocidente. Mas nós, na Idade Média, tínhamos uma civilização diferente da ocidental. Portanto, mesmo que a civilização moderna estivesse em oposição à civilização ocidental da Idade Média, isso quer dizer que essa mesma ruptura existe entre a modernidade e a nossa civilização anterior? É provável que não, e isso tem a ver com a diferença entre as civilizações e culturas islâmica e cristã e entre suas respectivas culturas.

A semelhança mais importante entre o nosso pensamento atual e o que era dominante no Ocidente medieval é o lugar central reservado a Deus na vida dos homens. Por contraste, na moderna civilização laica, o homem é considerado o centro. Mesmo os principais arquitetos do pensamento moderno – como Descartes, que surgiu na aurora da era moderna –, que a princípio acolheram em tese a idéia de Deus e do sobrenatural, têm uma concepção notavelmente diferente daquela dos cristãos e muçulmanos da Idade Média. A centralidade do papel do homem constitui a principal diferença entre eles.

É claro que, no Ocidente, sempre houve o pensamento místico e religioso. Mas não há dúvida de que, assim como Deus e a religião eram centrais na Idade Média, a natureza e o homem passaram a sê-lo no mundo moderno. Na Idade Média, temas sobrenaturais tinham mais peso e prestígio, e nesse ponto muçulmanos e cristãos eram parecidos. Mas, no mundo de hoje, o foco na vida eterna foi substituído por preocupações seculares.

No mundo moderno, apesar de o otimismo ilimitado dos ocidentais do século XVIII ter-se desvanecido, a ciência e suas conseqüências tecnológicas são ainda os fatores mais importantes que orientam a vida humana. As pessoas – ao menos na esfera social – não vêem motivo algum para confiar em nada que não seja a ciência empírica e as percepções humanas. No passado, a visão dos homens sobre as perspectivas do ser e da ciência era diferente da atual. O valor do conhecimento não se media por sua utilidade em assuntos práticos deste mundo, mas por sua nobreza e pela exaltação de seu objeto. Assim, a análise metafísica, especialmente a teologia, era considerada o mais importante ramo do conhecimento.

Na vida social, exigiu-se que a lei religiosa, de acordo com o significado aparente dos textos religiosos, fosse a regra suprema. Além da "revelação" divina, a humanidade não necessitaria de outra fonte para o conhecimento e a conduta. Vale a pena mencionar que, no mundo muçulmano, a filosofia, sob a influência aristotélica e neoplatônica – que era essencialmente diferente da filosofia moderna e do racionalismo – teve de defrontar-se com visões estatutárias e canônicas da religião, que vigorava entre os governantes e a população, e com o sufismo, que influenciava muitos membros da elite e de outros setores da sociedade; assim, a filosofia permaneceu isolada e restrita às vias marginais.

O princípio da era moderna pode ser visto como uma época em que o principal significado do conhecimento e da ciência passou a ser a sua utilidade prática neste mundo, enquanto antes o pensamento dominante repousava sobre o reconhecimento da futilidade do mundo físico. E embora os muçulmanos daquela época estivessem à frente de seus contemporâneos cristãos em reconhecer a validade e a importância do mundo natural e físico, em ambas as civilizações o ato de concentrar-se no mundo natural era visto como uma ocupação totalmente banal.

O ponto crucial do meu argumento é que a civilização atual domina também a nós, não-ocidentais, e que esta civilização requer uma cultura harmonizada com ela. No entanto, partes de nossa cultura permanecem harmonizadas com a civilização passada. A civilização moderna foi erigida por meio do desmantelamento da civilização anterior e da cultura que a acompanhava. Assim, temos de reconhecer que a incompatibilidade entre a civilização moderna e a nossa, ligada à tradição, é uma das mais importantes causas da crise na nossa sociedade. O que devemos fazer? Insistir em permanecer imersos em nossa tradição, ou fundir-nos completamente com a civilização ocidental? Haveria outro caminho para remover essa contradição, ou ao menos domá-la e canalizá-la de tal forma que não nos conduza à destruição nem esgarce nosso tecido social e nossa identidade histórica?

Muitos tradicionalistas continuam a defender sua herança contra a modernidade, freqüentemente por considerar essa herança divina, assumindo que podem trazer ordem a sua vida fechando as portas à civilização e aos valores ocidentais e confiando na tradição. Mas essa rigidez nefasta não alcançou seus objetivos, fato que se evidencia no sucesso da civilização ocidental em exportar muitos de seus valores para sociedades despreparadas e apegadas à tradição, às quais falta capacidade para entender o Ocidente. Assim, os tradicionalistas não têm tido outra opção senão recuar e fechar-se progressivamente, sem prover à sociedade os instrumentos para avaliar apropriadamente a civilização ocidental.

Há ainda aqueles que acreditam que a crise poderá ser resolvida pela adoção completa e acrítica dos valores modernos. A modernidade significa, para eles, a conquista mais elevada da humanidade até hoje, por isso propõem que todos os obstáculos para abraçá-la sejam removidos, e a tradição é vista como o maior obstáculo no processo da modernização. Aconselham-nos a preparar o caminho para a nova civilização pisoteando a nossa herança passada. Mas, lamentavelmente, muitos dos que ficaram extasiados com as conquistas reconhecidamente imponentes do Ocidente têm representado a essência do que ficou conhecido em nossa sociedade como o "intelectualismo", que não só não resolveu o problema como o agravou.

Primeiro, a frivolidade da sua visão, que simplesmente tece comentários, apenas adiou a emergência do verdadeiro debate sobre a relação entre modernidade e tradição. Segundo, renunciando às tradições profundamente arraigadas, demonstraram ser incapazes de dar qualquer passo importante. Nunca encontraram um lugar no coração das pessoas habituadas à tradição; não falaram uma língua compreensível ao povo; assim, morreram no isolamento e suas palavras jamais ganharam atualidade. Ou, pior, para sobreviver, envolveram-se com governantes autocráticos, tornando-se muitas vezes instrumentos do colonialismo ocidental em seus próprios países.

Na vida real, nem decretos religiosos nem o mero pensamento voluntarista podem impedir o avanço da cultura ocidental, assim como decretos e doutrinas não podem revogar a tradição. A vida humana está sempre mudando, às vezes de modo inconsciente e incontrolável. O importante é perceber através de qual perspectiva poderemos manter uma presença instrumental no processo de mudança, de forma que, em lugar de estarmos à sua mercê, possamos controlar as circunstâncias de nossas vidas com conhecimento e inteligência.

Ao lado dessas duas soluções imaginadas, há os pensadores reformistas no mundo em desenvolvimento. Por enquanto, há esperança de que esse movimento possa ter mais êxito, mas até aqui também ele tem sido cerceado pela crise que enfrentamos. Isso porque os reformistas apóiam-se em dois fundamentos: o primeiro, buscam o retorno ao próprio ser e o renascimento de nossa identidade histórico-cultural; o segundo, buscam um encontro positivo com as conquistas da civilização humana, mantendo a consciência do legado hegemônico e colonial do Ocidente. Não apenas não há unidade de visão sobre o "ser" ao qual querem retornar, mas também não conseguem concordar sobre precisamente quais aspectos do Ocidente precisamos absorver e internalizar. Assim, os reformistas devem ser vistos como pioneiros perspicazes e conscientes que tentaram confrontar corajosamente as angústias de sua sociedade para livrá-la de condições degradantes.

Nosso passado foi memorável, mas nosso futuro mantém-se incerto. Estamos à deriva num mundo dominado pela cultura, política, economia e poderio militar ocidentais, e nos defrontamos com uma idéia de desenvolvimento que é a referência de progresso no Ocidente. Precisamos decidir de uma vez por todas onde nos situamos em relação ao Ocidente e como os valores ocidentais estão relacionados ao desenvolvimento, de forma que possamos alcançá-lo sem perder nossa identidade nacional e sem nos dissolvermos no Ocidente.

O desenvolvimento, como muitos outros conceitos contemporâneos, tem suas raízes no Ocidente. Eis como defino seus pressupostos: "Que devemos estabelecer e distribuir o bem-estar com base nos valores e critérios da civilização ocidental. Ora, então não devemos dividir o mundo em dois blocos: o dos 'desenvolvidos' – a partir dos valores ocidentais – e os 'subdesenvolvidos'? Não devemos pensar nos países 'em desenvolvimento' como aqueles que estão tentando modernizar seu modo de vida imitando o Ocidente? É aqui que a relação entre a tradição e a modernidade se torna relevante.

"Desenvolvimento" é um conceito ocidental, baseado nos modelos da civilização ocidental. Sem conhecê-la, não podemos conhecer o desenvolvimento, seja para tomar decisões a seu respeito, seja para rejeitá-lo. Portanto, creio que um debate sobre desenvolvimento é prematuro antes de nos entendermos sobre seus fundamentos.

Há os que proclamam que as nações estão condenadas ao atraso, até mesmo ao desaparecimento, a menos que implementem todas as exigências do "desenvolvimento"; e a modernização, dizem, é condição necessária para alcançá-lo.

O raciocínio acima é verdadeiro se encararmos o Ocidente como a civilização humana definitiva, e portanto impossível de ser superada no futuro. Mas há outros que vêem o Ocidente como a última, mas não definitiva, civilização humana, a qual, como todas as criações humanas, é provisória e sujeita à deterioração. É claro que isso não significa negar o desenvolvimento nem render-se às opiniões dos tradicionalistas retrógrados; significa rejeitar as receitas daqueles que pregam uma rápida e completa ocidentalização. Como as propostas dos pensadores normalmente diferem daquelas da elite do poder, o desenvolvimento será alcançado mais completamente se as ações políticas estiverem harmonizadas com as bases do pensamento racional, sem que isso seja uma coerção à capacidade de pensar.

Como pensadores, nosso papel é compreender que, mesmo que o desenvolvimento signifique repetir a experiência do Ocidente, ainda assim teremos de examinar seus princípios básicos e suas implicações. Isso representa o mais importante desafio para os verdadeiros intelectuais e pensadores de hoje. A verdade é que, sem racionalidade, será impossível alcançar o verdadeiro desenvolvimento.

Primeiro, o desenvolvimento não é um processo mecânico que possa ocorrer na ausência de seres humanos racionais. Segundo, uma sociedade destituída de pensamento racional perderá seu equilíbrio tão logo encontre problemas, e é muito claro que as dificuldades humanas não podem ser resolvidas por meio da força, de leis rígidas ou de decretos de políticos, mesmo que possam ser recalcadas por algum tempo.

A triste experiência da "ocidentoxicação"[29] e do apego à tradição está diante de nós, e precisamos aprender com esses erros para não repeti-los.

A civilização moderna é uma importante realidade de nossa era e trouxe benefícios monumentais à humanidade. Mas suas falhas também são muitas, e não se limitam às atrocidades políticas e econômicas dos ocidentais perpetradas dentro e fora de suas fronteiras geográficas. O Ocidente enfrenta graves crises internas em sua economia, sua sociedade e seu pensamento. Aqueles de nós que vivem fora do Ocidente e não se sentem soterrados nem dominados por ele serão, no mínimo, melhores juizes dos desastres provocados pelo colonialismo ocidental aos não-ocidentais.

---

29. O termo, usado como sinônimo ocidentalização, imperialismo e globalização, é atribuído a Samuel T. Huntington em seu livro *O choque das civilizações e a recomposição da ordem mundial*, no qual o autor afirma, em 1996, que disputas no próximo século seriam marcadas pelo embate entre civilizações, mais fundamentalmente "entre religiões".

A civilização ocidental é uma construção humana, portanto transitória e propensa à degenerescência, a menos que alguém considere, irrealisticamente, que, com a aurora da civilização moderna, a fonte da curiosidade e da criatividade humanas tenha secado. A civilização é uma resposta à curiosidade dos homens, que nunca pararam de questionar o mundo. As necessidades humanas, em constante transformação, compelem-nos a satisfazê-las, e a civilização é uma resposta a essas perguntas. Importantes questionamentos e necessidades na história acarretaram o surgimento das civilizações, e esses mesmos questionamentos são afetados pelo tempo e lugar nos quais floresceram. É por isso que as civilizações mudam e não existe civilização definitiva ou eterna. Enquanto existirem seres humanos, existirá sua curiosidade e suas necessidades. E a cada pergunta respondida e a cada necessidade satisfeita, eles serão confrontados com novas questões e demandas.

Uma civilização só permanece enquanto for capaz de consolidar seu poder interno para dar respostas às questões e necessidades humanas; ainda assim, como todas as coisas seculares, é limitada. Com o tempo, esgotará suas possibilidades e não conseguirá encontrar respostas às novas questões; lentamente desvanecerá, e é assim que as civilizações decaem e perecem.

A civilização ocidental tem enfrentado grandes crises e, confiando em suas forças naturais, sempre pôde superá-las à sua maneira, começando no século XIX e culminando em duas guerras mundiais no século XX. Mas o Ocidente liberal e capitalista soube confrontar e sobreviver a seu oponente socialista adaptando suas instituições. Precipitada por suas próprias fraquezas internas, a queda do socialismo assombrou o mundo. Está claro, no entanto, que o Ocidente enfrenta outras crises profundas, surgidas do questionamento do núcleo de valores do Ocidente, que se evidencia na perda da confiança em suas capacidades e sua permanência. Essas questões são agora mais urgentes e pertinentes do que nunca. Assim, as objeções às bases morais e filosóficas do Ocidente são atualmente ainda mais comuns.

É verdade que a inabilidade da cultura da Idade Média em oferecer respostas à curiosidade e às necessidades humanas, e sua recorrência à violência física e psicológica para suprimir essas questões e necessidades, conduziram a uma explosão intelectual e social que causou o desmoronamento do reinado da Igreja e dos senhores feudais. Mas seria ingênuo supor que esses questionamentos e necessidades conscientes foram a única causa do surgimento da civilização moderna. Esses questionamentos e necessidades emergiram em meio a motivações que estavam além do campo da lógica e da racionalidade.

Primeiro, as rígidas restrições impostas pela Igreja e pelo feudalismo serviram para provocar uma reação na direção contrária. A Igreja havia dado uma aparência sagrada às suas práticas, de modo que seus excessos levaram os ocidentais não só a reverter a ordem social existente como a duvidar completamente da credibilidade da religião e da espiritualidade.

Ao mesmo tempo, o hedonismo e a cobiça tiveram um grande papel no nascimento e ascensão da civilização moderna, atropelando a busca de verdades elevadas e a espiritualidade.

Teria sido o papel da burguesia menos significativo para o desenvolvimento da modernidade que o dos fundadores intelectuais do movimento? O que motivou a classe burguesa não foi, certamente, uma busca incansável por verdade e justiça, nem por salvaguardar-se dos excessos da Igreja e do feudalismo, mas a vontade de adquirir riqueza.

Liberdade, fraternidade e igualdade foram as promessas-chave da Revolução Francesa, mas essas mesmas promessas foram instrumentos nas mãos da nova classe burguesa, que competia pelo poder com a aristocracia, impulsionada pela ambição desmedida que caracteriza o novo-rico. É possível até alegar que os cientistas e intelectuais da modernidade estiveram, na verdade, provendo justificativas racionais e intelectuais para as necessidades e ambições da nova classe. Enquanto elogiamos as muitas conquistas da civilização ocidental, como a ciência moderna, a tecnologia, a liberdade de pensamento e a democracia, não podemos fazer vistas grossas ao colonialismo, ao uso de força mortífera contra os não-ocidentais, à pilhagem de riquezas materiais e culturais de outros povos, à poluição do meio ambiente, à perpetuação de meias-verdades e mentiras, nem ao oportunismo que também caracteriza o Ocidente.

Assim, não nos podemos render a tudo o que é ocidental. Ao mesmo tempo, não podemos lidar com a tradição de maneira superficial; a tradição é a essência das conquistas socioculturais de um povo, especialmente importante para nós, cuja cultura e história foram tão ricas. Como afirma Aristóteles em seu *Política*, costume e tradição têm importante papel na manutenção da unidade de uma sociedade sã.

Romper com a tradição significa destruir a herança cultural e histórica de um povo, e se um povo quer evoluir, precisa entender seu passado para situar-se em seu processo de evolução histórica. Assim, o desmantelamento de aspectos da tradição deve basear-se em modelos autóctones, e não importados ou artificiais. Na verdade, os ocidentais, no alvorecer da modernidade, mergulharam profundamente em sua tradição. Os pensadores recriaram a tradição artística dos gregos e as tradições sociais de Roma. Os religiosos voltaram-se para o que consideram ser os aspectos mais autênticos da Cristandade, e desse processo surgiu também a Reforma. Esse retorno e essa revalorização da tradição anunciaram a nova época.

Nesse cenário, a burguesia, auxiliada por pensadores laicos, teve muitas conquistas tomando por base o novo pensamento, que se assentava num retorno a modos anteriores de pensamento racional. Logo, mesmo no esforço de desmantelar a tradição, não há como escapar dela.

Nós, que queremos evoluir e tomar as rédeas do nosso destino para sermos capazes de transformá-lo, precisamos garantir que a busca dos modelos ocidentais de desenvolvimento não nos leve a destruir nossa herança. Só podemos criticar a tradição se tivermos uma noção firme da nossa própria identidade; um povo sem tradição é, invariavelmente, desprovido de pensamento autêntico. Os frágeis e os fracos ficam à mercê dos acontecimentos.

Pondo isso de lado, há ainda o problema prático de que a tradição está profundamente arraigada na vida humana para ser removida por meros decretos de políticos ou receitas de intelectuais. Pior, forçar esse processo pode, na verdade, exacerbar os problemas e privar a sociedade de sua identidade. Mas isso não é o mesmo que se render à tradição incondicionalmente.

A tradição, tanto quanto a civilização, é uma construção humana sujeita à mudança. A contínua transformação das tradições a diferentes velocidades, ao longo de toda a história, é a prova definitiva de que mais mudanças são inevitáveis. A questão aqui é até que ponto o processo de mudança é iniciado conscientemente, com plena participação das próprias pessoas, em vez de ser imposto de cima para baixo ou de ser forçado pelas circunstâncias.

As tradições estão destinadas a evoluir. A questão é se o povo deveria ser forçado ou não, seja à mudança, seja a manter a tradição a despeito das necessidades, desejos e demandas da vida humana.

A tradição depende da compreensão e da intuição das pessoas, elas mesmas propensas à mudança. Essa mudança não nega a existência do absoluto, simplesmente reconhece que nossas interpretações do absoluto variam com o tempo. Afinal, o entendimento humano da natureza divina não se manteve constante durante toda a história.

O fato é que, na medida em que as interpretações se tornam mais intricadas e se fundem com a memória histórica de um povo e de uma sociedade, fica difícil apartar-se delas, e essa dificuldade é exacerbada quando as tradições adotam uma aparência de santidade, de tal forma que qualquer crítica ou objeção dirigida a esses costumes e interpretações é encarada como sacrilégio. Uma vez que combater o sacrilégio é uma ordem divina, o problema torna-se mais agudo em sociedades religiosas.

É certo que nosso pensamento e modo de vida precisam de transformação. A maior parte do tempo, a tradição é o maior obstáculo ao desenvolvimento, a menos que participemos ativamente para transformá-la e reconstruí-la.

Nossa sociedade precisa evoluir e transformar-se, mas devemos saber que o desenvolvimento no sentido ocidental é apenas uma forma de transformação, e não a única forma. O desenvolvimento no Ocidente é o resultado da confiança na tradição e do profundo conhecimento histórico que abriram caminho para um novo entendimento do homem e do ser. Os ocidentais atravessaram um longo e difícil processo. Só depois de passarem por muitas vicissitudes alcançaram a vontade e a sabedoria racionais. A busca pela verdade, assim como a competitividade, o caráter vingativo e a ambição se combinaram para fazer surgir a modernidade e o "desenvolvimento".

Vivemos numa época em que as fraquezas interiores da civilização ocidental estão cada vez mais evidentes não só para os que estão fora do Ocidente, mas para os próprios ocidentais, que agora duvidam de seu nobre destino professado. O conhecimento desse problema nos compele a recusar as noções ocidentais de desenvolvimento. Ao mesmo tempo, não devemos ver a tradição como imutável ou divina.

Assim, enfrentamos dois desafios humanos. Um profundamente arraigado em nossa sociedade; o outro, importado e em alguns casos dominante sobre nós, denominado civilização moderna. O importante é não desafiar a ambos, nem negligenciá-los, como alguns fizeram.

Para entender a época de hoje, precisamos conhecer as demandas do amanhã. E, para entender apropriadamente o futuro, não temos outra opção senão nos familiarizarmos com a nossa história. O amanhã é o tempo em que a humanidade transcenderá a civilização contemporânea, e chegarão mais cedo os mais familiarizados com o passado e focados no futuro. E não com os rígidos limites da tradição, tampouco com a superficialidade moderna, que vê apenas a aparência da civilização atual.

Por que não nos concentrarmos na civilização futura e ajustarmos todas as transformações para alcançar esse ideal? Um plano tão ambicioso como esse exige que critiquemos tanto a modernidade como a tradição.

É claro que abraçar o futuro não implica desmantelar o presente. Somente aqueles que alcançam um nível de crescimento, conhecimento e coragem podem ser donos do próprio destino, capazes de incorporar todas as conquistas e construir uma nova época.

De maneira alguma estamos condenados a dissolver-nos na civilização moderna, mas não podemos ignorar suas grandes conquistas científicas, sociais e políticas. Devemos nos perguntar se poderemos transcender a época atual para estabelecer uma nova relação com a existência e alcançar uma nova visão, e sob esta perspectiva tornar-nos fonte de uma nova civilização, que nos permita tanto assumir nossa identidade histórica como usufruir das conquistas da civilização moderna. Enfim, se poderemos inaugurar um novo capítulo na vida humana. Isso é especialmente promissor para nós, iranianos e muçulmanos, que temos gravada em nosso passado a criação de civilizações que tiveram um papel central na história humana. Poderemos ser outra vez fundadores de uma civilização? Naturalmente isso não significa que devamos retornar ao passado para lá ficar — o que seria retrocesso —, mas que devemos encontrar uma plataforma segura para nos lançar em direção a um futuro que depende do nosso presente e do nosso passado.

CAPÍTULO 4

Observações sobre o mundo da informação

Muito se tem falado sobre o papel central da informação na condução do destino humano, chegando-se mesmo a afirmar que a informação superou a política e a força militar como principal fonte de poder no mundo de hoje. Todos os povos que buscam dignidade, autonomia e progresso devem aprender a manejar esse recurso vital, acompanhando a constante evolução das tecnologias de comunicação.

O acesso oportuno à informação e aos meios eficazes de disseminá-la é essencial ao processo de desenvolvimento de cada país. Não nos podemos permitir ficar para trás nesse campo de rápidos avanços, e devemos cooperar para produzir, estocar e disseminar informação de forma eficiente. Esse, contudo, não é um empreendimento fácil.

A maioria das investigações sobre o mundo da informação enfatiza exclusivamente sua capacidade técnica, sem o devido aprofundamento de suas dimensões políticas e humanas. Para o nosso futuro, esta é uma tarefa crucial.

Em seu complexo formato contemporâneo, a tecnologia da informação representa uma das mais elevadas conquistas da cultura moderna, que utiliza o controle da informação para consolidar sua dominação mundial. A investigação sobre as características do mundo da informação é, portanto, intrínseca à própria natureza da civilização moderna. Até sabermos lidar com essa importante questão, seremos incapazes de reunir a confiança e a sabedoria necessárias para compreender nossa relação com a civilização moderna. Ao mesmo tempo, estaremos vivendo num mundo cujas regras são estabelecidas por terceiros e, à mercê das circunstâncias, não poderemos ser senhores de nosso próprio destino.

Defrontamo-nos com o mundo da informação, dominado pelo Ocidente em duas frentes: no âmbito da informação científica e no âmbito da informação com propósito sócio-político e cultural. No primeiro caso, o método científico é considerado, por unanimidade, o mais autorizado para se conhecer o mundo.

A ciência tem estimulado grandes transformações na vida humana, e nenhuma nação ou povo pode sobreviver sem suas bênçãos. Subdesenvolvimento científico e atraso na era das descobertas tecnológicas têm um efeito devastador. No entanto, a importância global da ciência não nos deve impedir de fazer as perguntas fundamentais sobre o contexto humano do empreendimento científico e tecnológico. Não podemos endeusar e cultuar a ciência como se estivesse acima da esfera do discernimento humano.

Investigar a natureza da ciência moderna é especialmente necessário para nós, muçulmanos, que já tivemos cientistas reconhecidos mundialmente. Porém, agora estamos atrasados em relação ao Ocidente; fomos relegados ao papel de consumidores passivos dessa civilização ocidental moderna. Mas, se usarmos nossa racionalidade e sabedoria, teremos a oportunidade de superar nossa atual posição de segunda categoria e seremos capazes de influir no curso do destino humano.

No século XVIII, os ocidentais abraçaram a magia da ciência e da tecnologia. Grandes filósofos, como Kant,[30]

---

30. Para se ter idéia da importância e penetração da ciência e pensamento islâmicos na Europa, o diploma de Doutor em Filosofia outorgado a Emmanuel Kant (1724-1804) pela Universidade de Könisberg ostenta uma

projetaram seus sistemas metafísicos com base nos princípios das ciências físicas. Mas, apesar do otimismo dos europeus do século XVIII, as pessoas logo compreenderam a incapacidade da ciência em resolver uma vasta gama de problemas que estão fora de sua esfera.

Hoje, até os mais leais defensores da cultura moderna – e do sistema sócio-econômico e político que possibilitou sua ascensão – pensam a ciência como uma série de conjecturas provisórias que são sistematicamente refutadas por teorias mais novas e mais completas. Ninguém tem a última palavra na esfera científica, já que a ciência nada mais é que as descobertas e realizações dos cientistas. Não há nenhuma maneira de saber com absoluta certeza se os julgamentos subjetivos dos cientistas descrevem a realidade com precisão. Hoje, mais que nunca, a objetividade da ciência tem sido questionada.

É verdade que a ciência tem demonstrado uma notável eficiência para resolver problemas práticos, e não há opção senão usar suas técnicas de experimentação e erro. Contudo, não podemos assentar toda a ordem social na instituição da ciência moderna, que é impotente para lidar com os anseios metafísicos, filosóficos e espirituais da humanidade.

É claro que nossas preocupações com as limitações da ciência não implicam que devamos retornar à Idade Média, tampouco retroceder às visões religiosas e espirituais limitadas e retrógradas predominantes naquela época. Os seres humanos modernos precisam de novas interpretações da espiritualidade e dos fenômenos sobrenaturais para dar sentido à vida.

Devido ao papel central da ciência e da tecnologia na civilização moderna, a incerteza quanto ao seu significado conduziu a uma crise geral no Ocidente, crise sentida de

---

inscrição em árabe, o primeiro versículo do Corão: "*Pelo nome de Deus, o Beneficente e o Misericordioso*" (cf. P. M. Montávez e C. R. Bravo-Villasante, *Europa islâmica: la magia de uma civilización milenaria*, Madri: Anaya, 1991, p. 128).

forma mais aguda nas ciências humanas do que nas ciências físicas ou naturais. A civilização moderna está mais profundamente ligada às idéias políticas, culturais e econômicas do que às ciências naturais. Nas ciências humanas, o sujeito e o objeto do estudo são os mesmos, já que os seres humanos estudam a si mesmos, suas sociedades e seus sistemas políticos. A investigação é norteada pelos motivos e suposições do agente ou cientista, e não pela realidade objetiva. A crise de identidade da comunidade científica irá naturalmente permear as esferas cultural e política.

Em nossa era, o fluxo de informações satura os sentidos de toda a humanidade de uma forma tão ampla que a capacidade de avaliar e escolher fica prejudicada até mesmo entre os ocidentais, que são os maiores produtores e consumidores das informações. O que dizer então de nós, que desempenhamos um papel periférico no mundo da informação? A informação eletrônica é a menina dos olhos da civilização moderna. Logo, o poder da cultura contemporânea, assentada na informação em massa, está ligado à legitimidade dos valores da civilização ocidental, para a qual a revolução da informação representa sua conquista mais destacada.

Para os que, como nós, estamos de fora do Ocidente, o mundo da informação propõe desafios múltiplos. Hoje, a informação é usada por países industriais avançados como o principal instrumento de salvaguarda de seus próprios interesses econômicos e políticos, mesmo que eles sejam incompatíveis com os interesses da maioria dos povos do mundo, que vive à margem da civilização moderna.

Assim, a despeito do otimismo que se possa sentir quanto aos benefícios da revolução da informação para toda a humanidade, não podemos duvidar de que a informação política e culturalmente orientada é produzida para proteger os interesses industriais, enquanto se apropriam dos direitos dos despossuídos e povos subjugados. Como consumidores desse tipo de informação, não podemos ignorar que a vontade política por trás da produção e disseminação dessas informações está assentada na manutenção da supremacia ocidental. Os não-ocidentais são ensinados a respeitar a supremacia ocidental como legítima, e até desejável. A civilização ocidental usou e continua a usar todos os seus recursos para dominar a mente e a vida de todos os povos, por meio do controle das fontes e dos meios de comunicação.

Isso não quer dizer que devamos nos isolar do mundo da informação, dominado pelo Ocidente. Isso é indesejável e praticamente impossível, posto que o alcance global da informação está em constante expansão. O conhecimento dos eventos mundiais tornou-se imperativo para compreendermos nosso lugar no mundo, bem como para planejarmos nosso futuro. Isolarmo-nos das redes mundiais de informação só nos transformará em peões no tabuleiro daqueles que controlam o fluxo desse recurso vital e estratégico.

Precisamos atingir um nível de evolução histórica e maturidade social que nos possibilite discernir com precisão os pensamentos e esforços dos outros e conhecer nosso lugar no mundo. Somente assim, poderemos acolher ou rejeitar o que nos beneficia e o que não nos ajuda nesse novo mundo. Enfim, precisamos tornar-nos ativos em três frentes: primeiro, precisamos entender as peculiaridades da civilização ocidental e o que a torna a manifestação máxima e o símbolo definitivo de nossa era, o que significa entender seus valores e princípios e libertar-se dos extremismos, igualmente prejudiciais, de odiá-la ou idolatrá-la; segundo, precisamos preservar nossa própria identidade histórica, que proporcionou valiosas conquistas à humanidade, mas encontrou também muitas dificuldades e insuficiências; e terceiro, enquanto prestamos atenção aos problemas externos que ameaçam nossa sociedade – a natureza hegemônica da política, da economia e da cultura ocidentais –, devemos também focalizar nossos próprios problemas e desavenças internas.

Muitas de nossas tradições são construções humanas que, apesar da grandeza que possam ter tido em sua própria época, pertencem a períodos históricos e lugares distintos e, no entanto, conservaram uma aparência de santidade e infalibilidade. Hoje, acatar dogmaticamente idéias arcaicas é um sério obstáculo para nossa sociedade, que muitas vezes nos impede de utilizar idéias e conquistas humanas da atualidade. Não nos esqueçamos de que não apenas o mundo natural, mas também o religioso precisa ser analisado pela reflexão, a fim de que nossa interpretação da religião seja também constantemente modificada.

Nosso vínculo com o passado não pode significar a negação de todas as conquistas da moderna civilização ocidental. Não nos voltamos ao passado para permanecer nele, mas para entender e recobrar nossa identidade, que se tornou frágil por conta do assalto da cultura ocidental. Com conhecimento e vontade, conseguiremos dar forma ao futuro, que nos convoca à cooperação e coordenação entre todos os devotos e pensadores do mundo muçulmano. Nós, muçulmanos, temos um grande legado histórico que devemos reavivar no mundo de hoje.

Apesar das divergências entre as diversas orientações do mundo islâmico, a unidade e a coordenação do pensamento islâmico têm sido fenomenais. Durante séculos de história islâmica, teólogos andaluzes pregaram em Damasco e Bagdá, assim como os filósofos e matemáticos persas sentiam-se em casa na África e na Mesopotâmia. Nós, muçulmanos, possuímos os fundamentos de uma sólida unidade que pode criar no futuro um poderoso movimento cultural.

Em primeiro lugar, temos um laço histórico e um sistema de valores em comum que o Islam, como fonte de grande civilização, nos proporcionou. Embora esta civilização não seja mais globalmente dominante como já foi, representa a maior força de experiência compartilhada entre todos os muçulmanos. Nosso vínculo com o teísmo do

Islam, assentado na crença na unicidade de Deus, é o selo do laço que une todos os muçulmanos.

Em segundo lugar, o conhecimento crescente de todos os povos, especialmente neste século, instilou um senso de unidade de propósito entre os muçulmanos, na medida em que todos nos percebemos vítimas do colonialismo em suas diversas formas. Não há ninguém entre nós que não tenha visto sua dignidade, liberdade e independência violadas por forças colonialistas. Todos ansiamos por independência e liberdade do jugo dessa dominação. Se combinarmos nossa dor comum e unificarmos nossas visões e crenças, semearemos a melhoria e a prosperidade em nossas sociedades. Compartilhar e coordenar nossos recursos de informação representa o marco dessa união e cooperação mútua.

A República Islâmica do Irã, a despeito de seus muitos enfrentamentos com a ordem política global dominante, sempre defendeu intensamente o aprofundamento dos laços culturais e científicos entre os muçulmanos de todos os países. E também hoje acreditamos que, apesar das diferenças políticas, devem ser criadas as condições para que cientistas e pensadores de todo o mundo muçulmano trabalhem juntos. Todos os muçulmanos têm de somar esforços para promover o avanço da causa do desenvolvimento em suas sociedades.

CAPÍTULO 5

Razão e religião

O lugar da religião em nossa época, o papel dos povos na condução de seu próprio destino, o relacionamento entre religião e modernidade, governo religioso e liberalismo, a relação entre religião e democracia são temas centrais para nossa sociedade. Se não soubermos lidar com eles, seremos os únicos a ficar fora da cena contemporânea. Uma pessoa que vive plenamente sua própria época é aquela que compreende o mundo de hoje e procura oferecer mais soluções inovadoras para os problemas atuais. Se estamos presentes fisicamente, mas ausentes em pensamento, não podemos pretender estar presentes em nosso próprio tempo. Hoje, amigos da nossa revolução desejam saber dos modelos e planos que essa revolução oferece para a vida, enquanto os inimigos esperam que ela fracasse e paulatinamente desapareça. Portanto, essas são questões urgentes de nosso tempo que precisam ser enfrentadas.

Três grandes figuras históricas — o Imame Khomeini[31] e

---

31. O imame Aitolá al-Uzma Ruhollah Musavi Khomeini nasceu em 24 de setembro de 1902 em Khomein (província de Mrkazi, Irã). Teólogo, jurisconsulto, autor de numerosos livros de teologia, jurisprudência, filosofia, mística, política e sociologia, foi o líder da Revolução Islâmica que triunfou sobre as forças monárquicas em 11 de fevereiro de 1979 e o fundador da República Islâmica estabelecida em 1 de abril do mesmo ano. Faleceu em um sábado, 3 de junho de 1989.

os mártires Mutahhari[32] e Sadr,[33] desempenharam um importante papel em nossa história recente e na formação do pensamento da era atual, especialmente entre as novas gerações. Sua maior conquista foi a habilidade de transformar culturalmente o mundo muçulmano, especialmente o Xiismo. O Imame Khomeini, que foi o anunciador do novo pensamento e da nova cultura, tornou-se a fonte de uma grande transformação histórica. Os três foram excepcionais em seu conhecimento e experiência, e nenhum pensador e estudioso pode ignorar ou desconsiderar suas percepções. Para aqueles que não têm educação religiosa formal, em termos práticos, é recomendável respeitar a autoridade e as prescrições do clero, mas na esfera das idéias, não se pode seguir cegamente o clero, não importa quão eminente ele possa ser — a menos que os líderes religiosos estejam entre os Infalíveis.[34] É por isso que não creio que grandes figuras como Mutahhari e Sadr tivessem a última palavra em matéria religiosa e intelectual.

O mais importante é que eles foram pioneiros que deram os passos iniciais com segurança e, desse modo, tornaram-se

---

32. Aiatolá Murteza Mutahhari, teólogo, filósofo e sociólogo nascido em Farimame (Khorassan, Irã) em 2 de fevereiro de 1919. Uma de suas principais conquistas foi reconciliar as escolas teológicas tradicionais (*madrassas*) com as universidades. Seus numerosos e qualificados escritos possibilitaram que a relação entre o Irã e o Islam se tornasse mais compreensível a seus contemporâneos. Esteve ao lado do Imame Khomeini na luta revolucionária empreendida a partir de junho de 1963; foi assassinado em Teerã em 2 de maio de 1979. Entre seus livros podemos citar *Os direitos das mulheres no Islam*, *Sociedade e história*, *O modesto traje islâmico* e *O homem perfeito*.

33. Allamah Muhammad Baquir as-Sayyid Ibn Ismail as-Sadr, nascido em Bagdá em 24 de setembro de 1931. Teólogo e filósofo, pertencente a uma renomada família de sábios islâmicos, é autor de obras fundamentais como *Nossa economia* (*Iqtisaduna*) e *Nossa filosofia* (*Falsafatuna*). Foi assassinado em 8 de abril de 1980 junto com seu irmão Bint Al-Huda.

34. Os onze imames da família de Ali ibn Abi Talib, que o sucederam, e são reconhecidos como sucessores legítimos do Profeta, portadores do conhecimento revelado.

modelos de conduta. Sem dúvida, são dignos de imenso respeito, mas suas idéias precisam sujeitar-se à crítica. Mutahhari e Sadr trouxeram um novo discurso para nossa sociedade, mas creio que esse discurso originou-se de nosso encontro com o Ocidente, e que já estava presente em nossa sociedade antes dessas personagens. Alguns setores tradicionalmente rígidos de nossa sociedade rejeitaram completamente o Ocidente, enquanto alguns intelectuais ocidentalizados procuraram dissolver-se no Ocidente. Mas houve reformadores do pensamento religioso das escolas sunita e xiita do Islam, como Seyed Jamal-Eddin Assadabadi,[35] sheikh Muhammad

---

35. Seyed Ÿamaluddín Assadabadi al-Afgani, nasceu em 1838 em Assadabad, próximo a Ramadã (Irã). Depois de graduar-se nos centros teológicos de Qazvín, Teerã e Najaf (Iraque), passou vários anos no Afeganistão (1866-1868) lutando contra os britânicos, sendo daí o apelido que o identifica. No Egito (1871-1879) conheceria intelectuais como sheikh Muhammad Abduh ao qual conscientizaria da necessidade de defender e fortalecer o Islam, restaurá-lo e adaptá-lo às exigências dos tempos modernos. Ao ser expulso pelo governo egípcio por suas atividades revolucionárias junto a camponeses (os *fellahín*), refugia-se em Paris, onde aprende a falar fluentemente o francês e o inglês, e estuda de perto a civilização ocidental. Para lá também iria Muhammad Abduh, com quem fundaria a sociedade pan-islâmica e *A firme empunhadura* (*al-'Urwat al-wutqa*), título baseado em uma *aleya* do Corão (*Sura* 2, *Aleya* 256, y *Sura* 31-22) que deram em 1882 à revista de vida curta (18 números em oito meses). A publicação introduzida clandestinamente na Índia e Egito (sob domínio britânico), cultivou o terreno para a germinação de uma nova geração de muçulmanos anticolonialistas. Depois da controvérsia provocada pela conferência de Ernest Renan (na Sorbonne, a 29 de março de 1883 sobre *L'Islamisme et la science*: cf. *Oeuvres completes* de Ernest Renan, Paris: Calmann-Lévy, 1955, p. 944-60), e sua polêmica com este escritor orientalista no *Jounal des Débats* (18-19 de maio de 1883), escreve sua obra principal: *Refutação dos materialistas* (*ar-Radd ala addahiyyín*). Em 1888 consegue voltar ao Cairo e morre em Istambul em 1897. Cf. Kudsi-Zadeh, *Sayyid Jamal al-Din al-Afghani*, Leiden: Brill, 1970; T. Ramadan, *El reformismo musulmán: desde sus orígenes hasta los hermanos musulmanes*, Prefácio de Gema Martín Muñoz, Barcelona: Biblioteca del Islam Contemporáneo, Série Ibn Jaldún, Edicions Bellaterra, 2000.

Abduh,[36] Allamah Ikbal Lahori,[37] Allamah Naini,[38] e grandes figuras como Mutahhari, Shariati e Sadr, que não quiseram nem ser absorvidos pelo Ocidente, nem rejeitá-lo completamente, esperando, em vez disso, encontrar um saudável equilíbrio. Um livro de Assadabadi, por exemplo, lançou críticas ao materialismo e acabou gerando um extenso debate sobre essa corrente.

Antes da época dos mártires Mutahhari e Sadr, Allamah Tabatabai[39] no Irã e muitos pensadores em outras regiões do mundo muçulmano tentaram achar novas respostas para essas questões. O que torna Muttahari e Sadr excepcionais é sua tentativa de defender a identidade do pensamento islâmico

---

36. Muhammad Abduh (1849-1905), ulemá egípcio e partidário do movimento pan-islâmico de Ÿamaluddín al-Afgani desde 1872. Exilado por ter participado do movimento anticolonialista de Arabi Pasha (1882), retorna ao Egito (1888) e é designado juiz do Tribunal Nacional de Primeira Instância e em seguida da Corte de Apelações. Em 1899 foi nomeado *muftí* do Egito (autoridade religiosa máxima). Autor de numerosos tratados sobre teologia e jurisprudência como *The Theology of Unity* (*Risalat At-Tawhid*), Nova York: Books for Libraries, 1980.

37. Allamah Muhammad Iqbal Lahori, nascido em Sialkot em 1877 e falecido em Lahore em 21 de abril de 1938. Filósofo e poeta de origem indiana, em língua persa e urdu, cujas idéias levaram à fundação da República Islâmica do Paquistão. Cf. Masud-ul-Hasan, *Life of Iqbal*, Lahore: Ferozsons Ltd., 1978. *Allamah* (ulemá, em português) é um título honorífico que se confere a um *alim* (instruído, do árabe *ilm*, "saber") especialmente sábio, tornando-o doutor em ciências religiosas.

38. Aiatolá Mirzá Muhammad Hussein Naini (m. 1936), religioso iraniano que em 1909 deu uma justificativa teológica para a adesão dos muçulmanos à democracia parlamentarista (Y. Richard, *Shi'Ite Islam: polity, ideology, and creed*, Lodres: Blackwell Pub, 1995).

39. Allamah Muhammad Hussein Tabatabai (1904-1981), autor de uma interpretação do Sagrado Corão em 22 volumes intitulada *A exegese equilibrada* (*Tafsir Al-Mizán*). Mestre de Murteza Mutahhari, propiciou um foro cultural integrado por intelectuais, como o islamólogo francês Henry Corbin (1903-1978) e o iraniano Seyed Hussein Nasr (1933) que déu origem a um vigoroso programa de investigações em persa, árabe, francês e inglês a partir de 1975. Cf. Tabatabai, *El Islam shiíta*, Buenos Aires: Conselho Cultural da Embaixada da República Islâmica do Irã, 1991.

frente ao pensamento marxista e materialista, bem como o fato de terem introduzido um novo discurso, fundamentado numa profunda compreensão dessas questões. Esse discurso deve ser o foco de todos os clérigos e intelectuais que crêem na religião e no esclarecimento.

É preciso empreender um exame mais minucioso sobre as deficiências do Ocidente e sobre as enormes diferenças entre nosso pensamento religioso e os valores ocidentais: nosso pensamento é baseado na existência de um Deus onipotente e onisciente, enquanto o Ocidente rejeita essa concepção, ao menos na esfera do funcionamento dos assuntos sociais. Essa é uma grande diferença, que implica, em assuntos espirituais, que o Ocidente dispõe de menos poder que nós.

Atualmente, o Ocidente possui o poder econômico, tecnológico e científico, enquanto nós, muçulmanos, ficamos para trás nessas áreas. O *Corão* prescreve: "Preparai, contra eles, toda a força que possais" (*Corão*, 8:60). E, com efeito, nos aconselha a também obter as forças materiais do poder, de forma que possamos exigir nossos direitos também com base nesse poder. É aqui que quero distinguir fundações e diretrizes, já que vejo a civilização como uma fundação, e não como um farol de orientação. A civilização é construída sobre crenças, necessidades e preocupações específicas das pessoas. Assim sendo, as crenças das pessoas podem mudar, assim como a civilização. Após o Profeta Muhammad, no terceiro e quarto séculos do calendário muçulmano (oitavo e nono séculos da era cristã), os muçulmanos criaram uma nova civilização com base nos ensinamentos do Islam, reunidos no *Corão*, e no que aprenderam das civilizações persa e grega. Mas o fato de que a idade de ouro da civilização islâmica já tenha passado não significa que o *Corão* e o Islam tenham definhado também. Nós, muçulmanos, acreditamos que temos de manter nossa fé no *Corão* e no Islam autêntico, enquanto buscamos novas respostas às perguntas da atualidade, tendo por base a religião. Os produtos da civilização ocidental estão em todos os lugares, mas acredito que também essa civilização não seja definitiva, já que é uma construção humana.

Todas as conquistas humanas devem ser utilizadas pelas novas gerações; do mesmo modo a civilização ocidental tomou muito emprestado ao mundo islâmico, assim também este se enriqueceu com as culturas persa e grega. Minha principal pergunta é: o que nós, muçulmanos, devemos fazer agora que a civilização ocidental é dominante e nós perdemos nossa civilização anterior? Se quisermos ser úteis no mundo de hoje, devemos retomar o passado do Ocidente e imitar o caminho já percorrido na esperança de alcançá-lo? Em suma, nossa meta é transcender a civilização ocidental ou, meramente, nos dissolver no Ocidente?

O tradicionalismo rígido propõe simplesmente que voltemos ao passado do Islam, enquanto os ocidentalizados defendem que façamos uma fusão com o Ocidente. Mas aqueles que realmente se preocupam com o bem-estar de nossa cultura nacional e religiosa acham que devemos incorporar o Ocidente para sermos capazes de transcendê-lo, mantendo-nos cientes de nossas próprias fontes religiosas e dos questionamentos e enigmas do mundo atual. Devemos assimilar as conquistas positivas do Ocidente, mas observando-as a partir da nossa própria herança para que possamos evitar suas deficiências. É por isso que devemos dar mais atenção ao futuro do Ocidente que ao seu passado.

A retidão é um dos pilares de todas as religiões, especialmente do Islam, e por isso necessitamos de uma interpretação precisa do termo. Infelizmente a idéia de retidão na história do Islam limitou-se ao âmbito individual, pois os verdadeiramente devotos da fé xiita nunca governaram a sociedade. Isso também é verdadeiro para os sunitas; as únicas pessoas às quais foi concedido governar foram os poderosos, enquanto o povo foi sempre mantido longe das rédeas do poder. A retidão social não tem nenhum precedente em nossa história. Mesmo os muçulmanos que acreditavam em integridade e retidão cometeram muitas injustiças sociais no mundo muçulmano, e a retidão individual nunca foi capaz de reverter essas iniqüidades.

Portanto, se dissermos que possuímos retidão e o Ocidente não, temos de saber exatamente o que queremos dizer. Para os fiéis religiosos, a relação entre Deus e os seres humanos é clara, mas o relacionamento entre o povo e seus governantes, entre os indivíduos e sua sociedade e entre os diversos constituintes da sociedade não foi analisado de forma suficientemente profunda para nos capacitar a conhecer os requisitos dessa retidão terrena.

Os ocidentais crêem que sua cultura está assentada na liberdade. Antes do advento da civilização moderna, os tópicos das liberdades social, política e civil não existiam no Ocidente, porque tanto ocidentais da Idade Média como os muçulmanos pré-modernos acreditavam na salvação. Hoje, a salvação é encarada como viver livre de restrições, mas no Velho Mundo significava libertar-se de restrições interiores e deficiências tais como a luxúria mundana.

Algumas facções do mundo islâmico chegaram a afirmar que a salvação só pode advir da completa abnegação e abstenção em relação a todos os bens materiais, incluindo até mesmo a sociedade. Al-Farabi via muitos místicos que prescreviam tal abnegação como ignorantes. Ele também acreditava na salvação, mas sentia que esta só poderia resultar da imersão em uma sociedade civil guiada pela libertação de restrições e defeitos interiores. Mas a liberdade, como o Ocidente a concebe, é exatamente o oposto disso, pois assenta-se em libertar-se das intromissões externas na vida privada, de modo que a vida de cada indivíduo não seja governada por ninguém senão ele mesmo. A idéia ocidental do individualismo dá primazia à compreensão e aos desejos humanos, e uma pessoa livre é aquela que, ao buscar a satisfação de suas necessidades, não encontra nenhum obstáculo. Claro, a liberdade tem limite, e esse limite é a liberdade dos demais. Esta liberdade também tem efeitos positivos na medida em que as pessoas tomaram seus destinos nas próprias mãos, e o governo, em vez de ser o senhor, tornou-se um servidor das pessoas e a elas deve explicações. De forma contrastante, em regimes autocráticos anteriores, os governantes estavam acima das pessoas, consideradas meros peões à mercê destes. Mas quando os povos se libertaram dos grilhões dessa dominação, ganharam coletivamente poder sobre seus governantes.

Liberdade é a libertação das amarras externas; já as idéias pré-modernas de salvação baseavam-se na libertação das amarras internas, independentes das liberdades e direitos sociais e políticos. Ambas as visões são incompletas. O liberalismo moderno ignora a liberdade interior, e, na medida em que não está interessado em saber se os seres humanos são ou não escravos de suas paixões, requer que não sejam submetidos aos caprichos de seus governantes. Nós, ao contrário, embora muitos tiranos governem e pervertam a sociedade muçulmana, tentamos evitar que as pessoas se tornem presas de seus desejos. Recorro ao *Corão* e aos valores de nossa sociedade para que tentemos obter ambos os tipos de liberdade. Devemos rejeitar muitos aspectos do liberalismo ocidental, mas não podemos negar suas muitas conquistas. Do mesmo modo que identificamos as falhas e os pontos fortes do Ocidente, devemos aplicar essa forma de pensamento crítico a nós mesmos.

A razão pode ser definida de várias formas, e temos de especificar a que tipo de razão nos referimos: platônica, aristotélica, neoplatônica, a razão visualizada pelos muçulmanos e pelos sufis, a razão de Ibn-Rushd,[40] ou a de Descartes, Kant ou Hegel.

---

40. Abu-l-Walid Muhammad Ibn Ahmad Ibn Rushd *al-Hafid* ("o neto") nasceu no ano de 1126 em Córdoba e faleceu em Marrakesh em 1198. Foi juiz islâmico em Sevilha e Córdoba e médico particular do califa almohade Abu Ya'qub Yusuf (r.1163-1184). A fama do filósofo-médico Ibn Rushd –

Para mim, a razão é o laço comum de todos os seres humanos, um meio de conexão com o mundo e com os outros, a mesma razão através da qual Platão e Aristóteles comunicaram seus pontos de vista. Razão e intelecto representam a única maneira de entender este mundo, embora esse entendimento seja muito relativo para orientar-nos na direção das verdades definitivas. Nossos grandes pensadores, embora cientes da indispensabilidade da razão, sabiam que ela, sozinha, não poderia desvelar toda a realidade. Nossas tradições religiosas pregam que, no final das contas, é a fé do coração, e não o intelecto, que apreende a realidade em sua totalidade.

Se concebemos razão e fé como contraditórias e opostas uma à outra, o fato de a razão alcançar um impacto mais utilitário neste mundo implicaria colocar de lado a fé. É importante notar que a fé à qual me refiro existe concomitante e paralelamente à razão, não em oposição a ela.

A razão nos pode levar somente aos portões da eternidade. Embora ciente de que o mundo não está limitado à materialidade, a razão não pode ir além deste mundo. É aqui que a fé deve intervir. Em relação às questões práticas, os seres humanos nada podem fazer em suas vidas sem a razão, e se tiverem de escolher entre fé e razão, escolherão a última. As interpretações do mundo baseadas na razão são relativas, de uma relatividade que também permeia nossas percepções da religião. Mas, se nossa compreensão da tradição religiosa e do *Corão* se tornaram agonizantes e carentes de transformação,

---

já transformado em Averroes – no pensamento medieval e renascentista, foi extraordinária. A chegada de seus escritos a Paris no início do século XIII mudaram o rumo de toda a Escolástica, do italiano Tomás de Aquino (1224-1274) aos averroístas latinos como o belga Siger de Brabante (1235(?)-1281/84). "Averroes é possivelmente o espanhol que maior influência exerceu ao longo da história sobre o pensamento humano" (J.Vernet, *Lo que Europa debe a Islam de España*, Barcelona: El Acantilado, 1999, p. 77). Cf. D. Urvoy, *Averroès: les ambitions d'un intellectuel musulman*, Paris: Flammarion, 1998.

isso não quer dizer que a tradição e o *Corão* tenham, eles próprios, envelhecido. Nosso intelecto é capaz de adaptar-se ao mundo atual, tanto quanto pode também manter-se sintonizado à tradição e ao *Corão*, de forma que a essência da religião não fique prejudicada. Nosso pensamento religioso está destinado a evoluir.

Os seres humanos buscam a Deus instintivamente, porque Ele é uma realidade presente em toda experiência direta. Infelizmente, muitas das nossas interpretações anacrônicas da religião assumiram uma aparência de santidade e são vistas como algo imutável.

É certo que os seres humanos darão os passos adicionais em direção à realização espiritual, a despeito da existência estreita e materialista que inevitavelmente os atormentará. Cremos que a religião não se opõe ao bem-estar material, mas convida todos os seres humanos a um lugar mais grandioso e elevado que o mundo material.

Como fiel, estou certo de que o futuro pertence à religião; como defensor da razão, já posso entrever os sinais da ávida recepção com que o mundo de hoje aguarda a religião.

CAPÍTULO 6

Crença religiosa no mundo atual

A questão que se coloca para todos nós é a própria condição da religião e as dificuldades que o fiel religioso enfrenta no mundo atual. Sem dúvida, tal questão abrange fiéis de todas as religiões monoteístas, sejam muçulmanos, cristãos ou judeus; refiro-me principalmente a nós, muçulmanos, ainda que se aplique, como disse, aos não-muçulmanos que buscam dignidade e respeito próprio.

Como um muçulmano que vive seu próprio tempo e se projeta num futuro no qual deseja ser útil e permanecer digno, pergunto-me sobre o papel da religião na contemporaneidade. É uma questão pessoal, ante a qual não me coloco como alguém neutro e imparcial, mas como um muçulmano comprometido e inquisitivo, embora considere necessário, em muitos casos, observar a religião desde fora, para que não atolemos de vez no preconceito nem caiamos no abismo do etnocentrismo. Portanto, questiono as condições em que se encontram os muçulmanos, tanto de uma perspectiva interna quanto externa, porque esses dois conjuntos de perguntas ainda precisam ser esclarecidos.

Nós, muçulmanos, tivemos outrora uma civilização dominante e moldamos a história humana de uma maneira como não somos mais capazes de fazer hoje. Queremos recobrar nosso lugar na história e, se possível, construir um futuro diferente do nosso presente e também do nosso passado, sem rejeitar os que são diferentes de nós e sem ignorar o pensamento científico e as conquistas práticas da humanidade.

Ao usar a expressão "mundo atual", quero dizer a "civilização ocidental", que domina o mundo. Isso significa que a nossa vida econômica, política, social e cultural é fortemente influenciada pelo Ocidente, pois sem seu legado e suas conquistas, a vida seria impossível para os muçulmanos. Vemos a influência do Ocidente em toda parte: o desenho e a administração das cidades em que vivemos, as tecnologias da comunicação e muitas outras coisas que usamos diariamente são todas criações ocidentais.

O mundo atual é tão ocidental em sua orientação, técnicas e pensamentos que, mesmo vivendo fora das fronteiras geográficas do Ocidente, é preciso incorporá-lo a partir de nossos próprios valores e modo de vida. O Ocidente trouxe, certamente, grandes conquistas para a humanidade, mas também criou grandes dificuldades.

O assunto central aqui, contudo, é que nossas dificuldades são mais complexas que as dos ocidentais, porque eles ao menos têm uma cultura que está em harmonia com a sua civilização e, portanto, não padecem de uma identidade precária. Nossos problemas são mais complexos precisamente porque, por um lado, nossa vida pessoal e social é diretamente influenciada pelo Ocidente, uma civilização cujas fundações não absorvemos nem interiorizamos; e, por outro, aspectos de nossa cultura pertencem a uma civilização cujo tempo passou. Ainda que não haja uma visão definitiva do que são cultura e civilização, penso que a civilização engloba os aspectos materiais da vida social e das as instituições e organizações que atuam como marcos políticos, econômicos e industriais, entre outros, para a organização social; e a cultura, ainda do meu ponto de vista, é uma coleção de crenças enraizadas, bem como os hábitos de pensamento e emoção arraigados em uma sociedade.

Alguns poderiam ver a crise do Ocidente como algo atribuível ao antagonismo entre suas motivações e a natureza humana. Nós padecemos do mesmo problema, se bem que de segunda mão. O problema dos não-ocidentais é, no entanto, mais agudo porque a cultura que domina nossas mentes não se encaixa nas realidades da vida contemporânea. Nós sofremos essas contradições de forma mais grave que os ocidentais.

Sem dúvida, é possível diferenciar cultura de civilização. Uma cultura que é adaptada a uma civilização pode permanecer na vida das pessoas muito tempo depois do desaparecimento desta civilização. A civilização é a base e o fundamento da cultura; assim, quando ocorre uma ruptura com a cultura, a civilização perde sua força inovadora e criativa, tornando-se realmente um obstáculo ao desenvolvimento; sem estar profundamente arraigada, essa relação gradualmente se esfacela.

Um dos nossos problemas centrais é que importantes aspectos da nossa cultura pertencem a uma civilização cujo tempo há muito passou, e também que nossa vida é influenciada pela civilização moderna, que requer uma cultura apropriada.

Como muçulmanos que querem manter a cabeça erguida e a própria identidade histórica, que para nós é o Islam, o que devemos fazer?

Não esperem de mim um manifesto a esse respeito, porque admito minha própria incapacidade ante tarefa tão grandiosa. Ademais, a vida das pessoas não pode ser corrigida por manifestos. Um dos manifestos mais poderosos foi o de Marx e Engels, e vimos aonde conduziu, embora os dois, sobretudo Marx, tenham sido pensadores brilhantes e vigorosos e os maiores patologistas da ordem capitalista.

Devemos confessar com toda a sinceridade que a vida é um esforço coletivo que não segue adiante senão por meio do debate, da crítica e da cooperação, e pelo reconhecimento das limitações e da relatividade de todas as perspectivas. O que estamos propondo aqui é apenas um conjunto de possibilidades, não uma solução final e definitiva. Precisamos de um debate mais aberto e de uma participação mais sincera e reflexiva no processo de um questionamento sério, e também de um esforço mais articulado para encontrar as respostas. Primeiro, analisemos a religião.

A religião está entre as mais antigas instituições humanas. A vida sem crença religiosa e sem submissão a uma ordem mais elevada é destituída de sentido. Queiramos ou não, os seres humanos têm um profundo sentimento do infinito sobrenatural em seu ser, presente no fundo de suas almas. Somos criaturas que podem entender a essência e o segredo do ser, e por isso buscam desvelar a natureza do ser – vejam quantos segredos foram descobertos pelo esforço humano até agora. Mas a existência é tão complexa que, assim que uma questão é respondida, inúmeras outras surgem em seguida. Sabidamente, vivemos em um mar de mistérios e curiosidades sobre o ser, maravilhados com a existência e toda sua complexidade e relações. A religião é a resposta mais estável, firme e sincera à admiração das pessoas diante da existência. Acho que, enquanto houver raça humana, existirá essa admiração, e, enquanto houver admiração, o lugar da religião na vida e na mente dos seres humanos é mais seguro que o de qualquer outra instituição ou fenômeno, já que a religião habilita a incompleta mas curiosa mente humana a buscar o Criador onisciente. Não há ninguém que, no fundo de seu coração, possa negar a existência do infinito e do transcendente. Mas as pessoas são afetadas pelo niilismo, ignorantes da realidade transcendente – o que é tão danoso quanto o outro extremo, de conceber os fenômenos transitórios e mutáveis como eternos e estáticos. Muitas das catástrofes na história se originaram desses dois equívocos.

Uma vida sem Deus, especialmente sem as religiões monoteístas ou a mística do Deus dos muçulmanos, ou *Irfan*[41] – que é muito diferente do Deus dos supersticiosos ou mesmo do

41. O termo árabe *Irfan* significa "conhecimento", podendo ser entendido mais propriamente como "conhecimento divino", ou "gnose".

Deus dos filósofos –, é escura e estreita. Este é um Deus que está no ápice da majestade e da grandeza. Apesar de todas as nossas limitações e inabilidades e de vivermos num mundo regido pela ansiedade e cheio de incertezas é admirável que possamos entrar em contato direto com este Deus e estabelecer um relacionamento emocional e lingüístico sincero com Ele, o centro do ser, fonte de vida, aconselhamento e direção. Este é um Deus magnífico e majestoso, a quem amamos e reverenciamos. Esse relacionamento é diferente do medo que o fraco tem do forte, mas é semelhante ao anseio do incompleto, em busca de plenitude, ante um ser completo e livre de necessidades. Essa reverência é a base da retidão: a verdadeira retidão é toda reverência, e reverência é estar livre dos limites terrenos. Como seres terrenos, somos dependentes deste mundo, mas aquele que é verdadeiramente reverente vê o mundo como algo a sua disposição, um mero instrumento para enriquecer os aspectos espirituais do seu ser.

Claro, nós também temos piedade e *Irfan* negativos; são sinais das limitações e da falibilidade humanas, que devem ser analisadas. É evidente que o fiel que se abstém do mundo material tem mais tranqüilidade e gratificação que aqueles que possuem somente conforto e riquezas materiais, já que a felicidade do primeiro é eterna, enquanto a do segundo – a satisfação dos desejos e necessidades como comida e sexo – é transitória, também porque os meios para alcançá-la dependem de centenas de fatores, e a ansiedade causada pelo medo de perder prazeres futuros, mata o prazer do presente.

Assim, em toda imparcialidade, a crença religiosa está enraizada nas profundezas da alma humana. Segundo o *Sagrado Corão*, a constituição humana é religiosa e monoteísta. A essência da religião é sagrada e transcendente e, se expurgarmos essas duas qualidades, não teremos mais religião. E onde quer que haja santidade e transcendência, haverá também o absoluto. Aqui, quero tocar em uma das maiores aflições que ameaçam a vida religiosa das pessoas.

O coração humano está em contato com o divino e com o transcendente, e sempre que a consciência humana atinge uma união com esse espírito é, em si, um sinal de que a essência da humanidade está em contato com a realidade transcendente que tem sido chamada o espírito de Deus. Mas a existência humana tem duas faces: natural e divina. Os humanos têm a cabeça no céu, mas seus pés estão terra, predestinados a viver neste planeta. E porque vivem neste planeta, sua vida e sua mente estão em constante movimento, refletindo a natureza dinâmica deste mundo. Como seres naturais, são inconstantes e estão circunscritos ao tempo e ao espaço; portanto, seu pensamento é relativo e falível, afetado pela história e, conseqüentemente, dinâmico. Nem o corpo, nem a mente se mantêm constantes. É claro que não acredito que todas as percepções humanas sejam relativas e que não haja constância na vida humana, mas a maioria das construções humanas e todo o conhecimento teórico são realmente ligados ao tempo e, portanto, transitórios. Nosso conhecimento é relativo e flui constantemente. Não há saída para a relatividade de nossas crenças e de nosso conhecimento, e os seres humanos não têm outra escolha senão seguir com essas incertezas e submeter seu conhecimento e suas habilidades ao teste empírico de tentativa e erro e modificá-los.

A história como um todo trata da evolução das crenças e das suposições acerca do mundo. Teria a mente humana permanecido a mesma ao longo do tempo? Toda a diversidade entre diferentes tradições, conceitos e religiões, e mesmo entre correntes de uma mesma religião, é prova de que ninguém pode afirmar compreender toda a realidade de todos os ângulos. Por exemplo, quando falamos do Islam, a qual Islam nos referimos? Ao Islam de Abu Dharr,[42]

---

42. Yunduh Ibn Yunadah al-Guifári, conhecido como Abu Dharr, da tribo Guifar do deserto arábico. Companheiro do Profeta Muhammad, foi um

de Avicena,[43] de Ghazzali,[44] de Ibn 'Arabî,[45] dos poetas, dos sufis? Todos esses são aspectos indiscutíveis que atestam a relatividade da compreensão humana, e mesmo da religião. Hoje, independentemente do credo, diferimos de nossos pais em pensamento e ação.

Uma das principais dificuldades da comunidade de fiéis é que, de um lado, eles assumem certas realidades como absolutas, transcendentes e sagradas e, de outro, vêem tudo pelo prisma da relatividade de suas próprias mentes e corpos, ao qual todos estamos submetidos. Somente o reconhecimento e a compreensão dessas limitações e da raiz dessa contradição

---

dos emigrados (*muhaÿirún*) de Meca a Medina. Mesmo antes de sua conversão ao Islam, era conhecido por sua devoção e piedade. Pregou o Islam ao povo de sua tribo e viveu em Damasco. Faleceu em Rabada, perto de Medina, em 8 de Dhul Hiÿÿah do ano de 32 H. (653 d.C.).

43. Abu Alf al-Hussain Ibn Sina (980-1037), latinizado Avicena, nascido em Afshana, perto de Bokhara (hoje Usbequistão) e morto em Ramadã (Irã). Médico e filósofo eminente, também se dedicou à poesia e à geologia. Sua principal obra filosófica é *A cura* (*al-Shifá*). Seu gigantesco *Cânon de Medicina* (*al-Qanun fi-l-Tibb*) constitui a obra-prima da sistematização islâmica e foi considerada indispensável nas universidades européias até o século XVII. Cf. S. F. Afnan, *Avicenna his life and works*, Londres: George Allen and Unwin Ltd., 1958; Badawi, Hernández, Nogales e Muñoz, *Milenario de Avicena*, Madri: Instituto Hispano-Árabe de Cultura, 1981.

44. Abu Hamid Ibn Muhammad al-Ghazzali (1058-1111). Nascido em Gazzal e morto em Tus, na mesma província de Khorasán (Irã). Teólogo e jurista, autor de *A destruição dos filósofos* (*Tahafut al-falsifa*), na qual afirma: "... temos de identificar como ímpios tanto os próprios filósofos, como seus seguidores, como Avicena, al-Farabi e outros, por transmitir a filosofia de Aristóteles" (W. Montgomery Watt, *The faith and practice of al-Ghazzali*, Londres: George Allen & Unwin, 1953, p. 32-3).

45. Abu Bakr Muhammad Ibn Alí al-Arabî (1165-1240), chamado de "vivificador da fé" (*Muhiiuddín*) e "grande mestre" (*as-Sheikh al-Akbar*), nasceu em Múrcia (Espanha) e morreu em Damasco. Místico andaluz, autor de 400 manuscritos, entre eles o *Livro das Revelações Mecanas* (*Kitab al-Futuhat al-Makkiya*) e *Tratado da santidade* (*Risalat al-Quds*). Cf. C. Addas, *Ibn Arabî ou la quête du souffre rouge*, Paris: Gallimard, 1989.

podem evitar que nossos problemas internos criem uma catástrofe. O mal-estar mais agudo entre os fiéis surge quando as interpretações humanas da religião, falíveis e limitadas pelo tempo e pelo espaço, arrogam a si mesmas o caráter absoluto e sagrado da religião, de tal modo que os preceitos de uns poucos passam a ser vistos como a própria religiosidade. Só é considerado fiel, então, aquele que adere a essa visão específica. Muitos conflitos têm aqui suas raízes.

Nós temos religião e compartilhamos de uma capacidade racional que é o instrumento de comunicação e compreensão mútua entre os seres humanos; e se acreditamos, como muitos filósofos, que a mente humana é governada por alguns conceitos absolutos válidos para todos os tempos e lugares, temos também de admitir a limitação da compreensão humana e a falibilidade e relatividade de nossas interpretações. O amplo espectro de opiniões e crenças entre as diferentes escolas e até dentro de uma mesma escola é a prova mais visível da veracidade deste postulado.

Quer isso dizer que todas as portas para o absoluto estão fechadas à mente humana? Sabemos que vários filósofos modernos no Ocidente responderam a essa pergunta afirmativamente. Eles ou bem negaram a existência da realidade absoluta, ou, no mínimo, sugeriram que não temos como apreender essas realidades, e, assim, muitos pensadores ocidentais chegaram à conclusão de que, ao menos na vida social terrena, a religião tem de ser deixada de lado.

Entretanto, para o homem piedoso que acredita na onipotência de Deus, isso nunca será convincente, embora não haja maneira de saber com certeza. Seria insensato chamar pessoas comuns para ir a um lugar que não podem alcançar.

Em minha opinião, a única maneira segura de entender Deus é pela via do coração, e não da mente, isto é, através da experiência direta, e não do intelecto. Todas as religiões enfatizam isso de forma contundente. Os líderes do Islam nos ensinaram que o intelecto pode ser usado para adorar a Deus, mas não para compreendê-lo. Em outras passagens, sugerem que o caminho para alcançar o absoluto é a adoração, sem extrapolar o conhecido ao desconhecido. De acordo com o que diz o *Sagrado Corão*, o caminho do absoluto e do esclarecimento é a adoração, a boa conduta e a purificação interior, o que significa que a melhor maneira de conhecer a Deus é pela experiência direta, e não pelo entendimento. É claro que isso de forma alguma nega o inestimável valor do intelecto filosófico e científico, especialmente no Islam, que enfatiza sua importância. Mas é necessário reconhecer as limitações do intelecto, e o verdadeiro fiel deve trilhar o caminho do coração. A verdade da crença religiosa é uma experiência, não um pensamento, uma experiência baseada no autodesenvolvimento, no controle dos desejos terrenos, na resignação diante da grandeza da existência e no encantamento pelo Amado. Se esse caminho for percorrido, os seres humanos alcançarão a Deus. Compreender é uma tarefa intelectual na qual, por meio de conceitos conhecidos, pode-se chegar ao desconhecido; assim como a posição de alguém no espaço e no tempo, o intelecto é relativo.

O que acabo de declarar não é novo, está evidenciado em muitos ensinamentos religiosos. Todos os grandes místicos advertiram sobre a inabilidade do intelecto, afirmando que o raciocínio da mente se assenta sobre uma base inexpressiva e instável. O mais importante é que grandes filósofos como Avicena, que tinha muita fé nos poderes dedutivos e indutivos do intelecto, jamais disseram que o intelecto conceitual nos pode levar a Deus. O intelecto, se conseguir percorrer todo o caminho, alcançará apenas as cercanias do transcendente, nunca o divino propriamente dito.

A experiência religiosa flui das profundezas da alma. Muitos filósofos e místicos tentaram assinalar com precisão a sustentação intelectual da experiência religiosa, mas o caminho continua sendo o da experiência, e não o intelectual. O caminho do coração é que nos leva à verdade e à retidão.

O aspecto delicado aqui é que o caminho do coração, como o trajeto seguro para chegar a Deus, tem de ser trilhado na solidão; não pode ser alcançado por meio de terceiros, nem é possível transmitir esse tipo de experiência a outros. Ao mesmo tempo, somos seres sociais que precisam viver na Terra; e um ser assim precisa de instrumentos para compartilhar com os demais o que pode ser comunicado. A linguagem é um meio importante de contato entre os seres humanos, mas é uma manifestação exterior, um reflexo de uma realidade psicológica que existe na mente humana. Os seres humanos são capazes de interpretar e de transmitir as suas interpretações a outros por meio da linguagem. Pode-se entender, com o intelecto, que o elo entre intelecto e iluminação é a compreensão humana, e essa compreensão está sempre além do nosso controle. Os talentos humanos não conhecem limites, e, realmente, a grandeza da existência não pode ser limitada a coisas naturais e materiais, mas os seres humanos são limitados pelo tempo e pelo espaço e, portanto, têm uma visão truncada. São afetados por emoções, e seu esclarecimento deve fluir a partir dessas emoções, mas, como a emoção é relativa e falível, as interpretações humanas não podem ser absolutas.

Os seres humanos trazem sinais do ser superior em si próprios, mas, para lidar com a natureza, precisamos usar o intelecto falível que nos foi dado. Com esse intelecto, tratamos de dar sentido a duas matérias distintas: os mundos natural e sobrenatural. Apesar da relatividade da compreensão humana, alguns fiéis confundem o caráter absoluto da religião com sua própria visão limitada e incompleta da religião. Mas, com o passar do tempo e com as transformações na vida humana, velhas interpretações já não bastam. Em vez de se desapegarem de sua visão truncada e encarar os problemas religiosos com a mente aberta para desenvolver uma visão mais completa e dinâmica da religião, tentam impor seu pensamento desarticulado sobre a realidade. Isso é impossível no longo prazo e é uma fonte de muitas calamidades no curto prazo.

Hoje, a visão humana da natureza é muito diferente das interpretações do passado. Certamente alguns tentaram dar uma aparência sagrada às interpretações humanas. Na história cristã, uma interpretação específica do mundo natural foi adotada pela Igreja católica, e por séculos essa visão estática não permitiu que novos raios de luz fossem projetados; e quantas provações se impuseram aos pensadores e cientistas! Mas esse pensamento se transformou, e hoje pouca gente, sejam muçulmanos, cristãos ou de outras religiões, acredita que os livros sagrados e o contato direto com Deus possam guiar os homens na compreensão dos fenômenos naturais. Em vez disso, todos aceitaram que, para entender o mundo e a natureza, devemos usar a racionalidade e o intelecto para chegar a teorias válidas e capazes de responder a questões e satisfazer necessidades. Essas teorias estão constantemente submetidas à falsificação, mas essa impostura já não é mais aceita nas ciências humanas. Devemos, naturalmente, distinguir teoria e observação empírica para levar em conta os pensadores e filósofos que crêem em alguns princípios constantes e gerais nas ciências.

Todas as interpretações são limitadas, não só em relação ao conhecimento do mundo natural mas também da religião. No entanto, a natureza limitada da compreensão humana não minará a religião, a menos que os fiéis confundam suas interpretações com a religião em si. Muitos conflitos na história surgiram desses equívocos, fazendo que as pessoas suspeitassem da religião por causa da mudança de alguma interpretação específica.

Servir à religião nesta época requer que, corajosamente, saibamos distinguir entre a essência da religião e as incompletas interpretações humanas, de modo que a religião mantenha seu lugar central no coração dos fiéis, para que possamos modificar o pensamento religioso e adaptá-lo às demandas do nosso tempo. Dada a multiplicidade das visões acerca da religião na história, devemos assegurar que não pensamos que a nossa visão da religião seja a única. Precisamos perceber que nossa referência às fontes religiosas é orientada por uma lógica própria e por métodos claramente definidos que estão em constante movimento. Na verdade, essas são questões sagradas, mas nossa interpretação delas é humana. Só com essa compreensão conseguiremos abrir a mente às experiências e inovações de outros e alcançar uma compreensão mais útil e proveitosa da religião, proporcional às dúvidas e necessidades sempre renovadas.

Claro que não podemos ver todas as interpretações religiosas como igualmente válidas, assim como não podemos aceitar todas as interpretações leigas do mundo natural difundidas hoje em dia, como a física ou a biologia avançadas. Interpretações religiosas válidas, do mesmo modo que o pensamento científico, requerem que sejamos fiéis às fontes autênticas — que para os muçulmanos são o *Sagrado Corão* e o conhecimento dos métodos e tradições — para alcançar a iluminação religiosa. Todos nós podemos ter nossas interpretações, mas a vida eterna da religião só é assegurada pela compreensão de que o espírito não pode ser confinado a nenhuma interpretação limitada por tempo e espaço. É essa visão que abrirá a porta da evolução de todos os aspectos da vida dos fiéis, não permitindo que raciocínios equivocados inibam o pensamento e o desenvolvimento, preservando, simultaneamente, a essência da religião.

Ao mesmo tempo, a aceitação de uma visão dinâmica e instrumental da religião depende de ela ser apresentada inteligentemente ao mundo e ser capaz de lidar e dar forma às realidades atuais sem perder sua identidade histórica. Em minha opinião, a civilização ocidental é a realidade mais vigorosa da nossa época, mesmo que o Ocidente não nos pareça amigável politicamente, e que sejam poucos os não-ocidentais que não tenham testemunhado a aflição que nos tem causado a opressão política e econômica do Ocidente, tanto na antiga forma do colonialismo como nas políticas hegemônicas contemporâneas. Mas o Ocidente econômico-político é apenas uma faceta dessa civilização, que tem uma cultura própria, assentada numa visão de mundo e num sistema de valores específicos. Sem a compreensão desses valores, nossa percepção do Ocidente será superficial e enganosa. Nesse ponto, devemos fugir dos extremos – tanto do ódio ao Ocidente, como de sermos totalmente cativados por ele –, de modo que nos possamos proteger dos perigos provenientes do Ocidente e ao mesmo tempo utilizar suas conquistas humanas. Tudo isso só será possível se alcançarmos uma maturidade intelectual e histórica que nos capacite a discernir e escolher, e aceitar as responsabilidades inerentes a nossa opção.

CAPÍTULO 7

Temores e esperanças

Mesmo os que se opõem aos objetivos e ideais de nossa revolução reconhecem sua grandeza. Conspirações e planos sem precedentes contra nós constituem forte evidência de que esta revolução foi levada a sério e que sua magnitude é indiscutível até entre seus inimigos. A revolução islâmica expandiu seu influxo pelo mundo muçulmano e além dele. Trouxe nova esperança aos muçulmanos e povos oprimidos que buscam liberdade e justiça, influenciando, assim, o clima intelectual e político do mundo.

Uma transformação dessa envergadura não poderia evitar o surgimento de atritos na sociedade que a originou. As ansiedades de nossa sociedade pós-revolucionária é, portanto, resultado do momento que atravessamos, em que iniciamos uma nova fase da nossa história. Mas isso não deve ser motivo de preocupação.

Proporcionais a sua grandeza e gravidade, são os temores e esperanças que essa transformação fez emergir: medo de tudo o que nos ameaça e esperança pelo futuro luminoso e pleno da sociedade revolucionária.

Assim, esperamos que os pensadores conheçam não apenas os pilares da revolução, mas também os problemas que ela enfrenta. Os pensadores devem concentrar-se na relação da revolução com as atuais realidades do mundo. Somente desta forma nós poderemos preservar tudo que é verdadeiro e justo, mudando o que não é.

Em minha opinião, o principal desafio que nossa revolução confronta é a oposição fundamental ou o choque de seus pilares de sustentação com o que é preponderante no mundo de hoje. As fundações intelectuais e metas de nossa revolução estão em oposição com a maioria dos valores globais dominantes, em algumas situações negando-os completamente. Isto é muito natural já que toda revolução se opõe à ordem vigente, tendo surgido basicamente com este propósito. Mas, em nosso caso, esta oposição é particularmente intensa graças ao poder que nosso adversário exerce no mundo das idéias.

O mundo que se opõe à nossa revolução detém um sistema intelectual e político maduro e bem articulado, formado ao longo de séculos por gerações de cientistas e pensadores criativos. Uma tradição centenária de invenções e inovações desenvolveu-se em meio a um sólido sistema sócio-político, cuja maior munição é ser titular de um sistema de valores profundamente arraigado. Sua visão política e filosófica domina uma ampla audiência global e seu sistema é respaldado por cientistas e especialistas capazes.

Nosso oponente também comanda um impressionante poder econômico, político e militar, mais variado e complexo do que qualquer coisa que tenhamos visto no passado. Mas isto não nos deve intimidar, porque grandes revoluções confrontaram poderosos sistemas intelectuais e políticos no passado e conseguiram transformá-los. Nós, que proclamamos nossa revolução grandiosa, não nos podemos intimidar pelo poder de nossos oponentes.

O que torna nossa desvantagem mais desafiadora, entretanto, é que o sistema intelectual, moral e político do Ocidente, conforme é retratado e difundido hoje em dia, é harmônico e adaptável à natureza humana básica, o que naturalmente atrai as pessoas.

Os paladinos da civilização e do pensamento modernos proclamam que sua concepção se assenta na "liberdade", uma alegação que nós devemos encarar seriamente, especialmente agora que o pensamento socialista foi minado pelo desaparecimento do comunismo soviético. Isto tem sido usado para mostrar que um sistema baseado em noções ocidentais de liberdade é o único que consegue perdurar. Os antagonistas da revolução islâmica confiam no princípio de "liberdade" e muito do seu poder provém disso, pois a liberdade representa um objetivo humano central e instintivo. Quando a liberdade é descrita como algo que possibilita às pessoas fazerem o que bem quiserem, isto corresponde ao forte apelo humano de viver livre de limitações. Na prática, no entanto, a liberdade ilimitada não é possível, e "liberdade", da maneira como o Ocidente a define, é redutível a uma licença ou a estar livre da intromissão dos demais.

Os defensores dos valores modernos afirmam que a liberdade tem como único parâmetro o pensamento e a vontade dos seres humanos, cuja maioria deve decidir quais são os limites da liberdade e estabelecer as leis e regras; crêem que nenhum obstáculo deva ser imposto às pessoas que as impeça de fazer o que quer que desejem, a menos que este desejo entre em choque com o dos demais. Embora tenha de incorporar uma série de restrições feitas pelos homens, o sistema, no geral, está em conformidade com as necessidades e desejos humanos instintivos e básicos que não precisam ser aprendidos. Em outras palavras, todas as inclinações físicas e terrenas que a atual ordem ocidental satisfaz são fortes motivações para a vida de cada um. Não há necessidade de trabalho ou estudo para achar essas inclinações irresistíveis, e um sistema que as satisfaz parecerá sempre muito atraente.

Nossa revolução, ao contrário, convoca as pessoas a valores cuja obtenção requer muita vontade, esforço e trabalho. Nosso sistema se baseia na abstinência, honestidade e retidão, virtudes que não são inatas à natureza humana; e, embora tenhamos talento para desenvolvê-las, alcançá-las significa superar muitas dificuldades, e aceitar que o cumprimento dessas obrigações morais requer muito trabalho.

Assim, o antagonista da nossa revolução, enquanto possui grande poder econômico, político, militar, científico e tecnológico, oferece um conjunto de valores coniventes com as necessidades e inclinações humanas básicas. Isto faz seu sistema parecer também uma visão moral e utópica.

O Ocidente alega que não só permite aos homens serem livres de restrições em seu comportamento e desejos instintivos, mas que tal vida é moralmente superior a todos os demais sistemas, porque atende à principal meta da vida humana: o desejo de liberdade.

De fato, a liberdade é um dos maiores anseios da humanidade, e, possivelmente, nenhuma outra meta, ao longo da história, consumiu tanto esforço e sacrifício. Hoje, à humanidade, é oferecido um sistema que a todos convida a comer e beber como quiserem, vestir-se como desejarem, e a pensar e falar livremente. Simultaneamente, a meta da vida em tal sistema é a prosperidade e o poder, ambos vistos como a serviço do maior e mais sagrado objetivo da humanidade, ou seja, a liberdade. O Ocidente usa os instintos humanos mais básicos e, portanto, mais poderosos, para consolidar sua posição. Isto, entretanto, é enganoso porque, apesar do que alega, o Ocidente está longe de alcançar a verdadeira liberdade, ou mesmo de propiciar o acesso aos bens que promete. Nós queremos um sistema baseado na abstinência e na moralidade superior, que só pode ser alcançado pelo esforço e pela coragem de se comprometer com o crescimento moral e espiritual. Esta é a verdadeira liberdade, mas as pessoas precisam ser ensinadas para que possam entendê-lo.

O que mais aviva as chamas do antagonismo entre nós e nossos oponentes, hoje, é o poder e alcance da comunicação eletrônica global. Em nossa era, cada pessoa está facilmente em contato com os demais em todos os cantos do mundo. As fronteiras que separavam sociedades no passado desapareceram graças às novas tecnologias de comunicação, que permitem a transferência instantânea de informações e notícias pelos continentes. Nosso oponente também controla este recurso vital, dominando o complexo conhecimento técnico de disseminar imagens e ondas sonoras às massas e à comunidade mundial, uma fantástica habilidade para as relações públicas e para produzir consenso, utilizando os mais refinados e eficientes métodos científicos e tecnológicos para converter os demais a seus pensamentos e estilo de vida.[46]

Em nossa época, ninguém pode fechar-se para o que está acontecendo no mundo. Todos, em toda parte, estão sendo bombardeados, sem defesa, pelo fogo cerrado das informações e imagens que as potências mundiais querem disseminar. O oponente não tolera sociedades que difiram da dele e procuram cortar pela raiz todos os movimentos independentes. O Ocidente hegemônico não pensa em nada senão nos próprios interesses, e se um povo se afasta de seus valores ou recusa-se a servir a seus interesses, concentra todo seu poderio para forçá-lo a render-se sob ameaça de retaliação.[47] E é precisamente por isso que nossa revolução tem enfrentado conspirações e pressões desde o momento em que nasceu.

É preciso deixar claro de que maneira nossa revolução se relaciona com essas dificuldades vindas do exterior. Ao

---

46. Segundo Noam Chomsky, "os meios de comunicação são pouco mais que uma indústria das relações públicas a favor dos ricos e poderosos. Sua tarefa consiste em 'adestrar a mente da população' a fim de que creia nas virtudes dos delinqüentes da elite que a governa". D. Cogswell e P. Gordon, *Chomsky for Beginners*, Nova York: Writers & Readers Publishing, 1996. Cf. N. Chomsky, *Necessary illusions: thought control in democratic societies*, Cambridge: South End Press, 1989).

47. "Tudo que é singular e irredutível tem de ser reduzido. É a lei da democracia da nova ordem mundial" (J. Baudrillard, *La guerre du Golf n'a pas eu lieu*, Paris: Galilée, 1991).

mesmo tempo, no entanto, não podemos ignorar nossos próprios problemas internos.

Uma das mais importantes dificuldades que enfrentamos é o afastamento do Islam em relação às demandas práticas das esferas social e política. Agora que a revolução islâmica deseja institucionalizar um novo modo de vida individual e social, na medida em que deparamos com o mundo e suas realidades, padecemos um vazio quanto à nossa habilidade de regulamentar a sociedade e as relações humanas por meio de idéias islâmicas que funcionem. Por séculos, o pensamento islâmico tem sido artificialmente relegado à marginalidade. Ao Islam não tem sido permitido governar e regulamentar as relações sociais. Em vez disso, as rédeas da sociedade têm estado nas mãos ou de forças antiislâmicas ou controladas por grupos que têm usado o Islam meramente para autopromoção, propagando-o somente para legitimar seu poder e governo.

O Islam real, durante este longo hiato, tornou-se uma força de oposição contra sistemas corruptos e obsoletos que governavam em seu nome. Hoje, nossa revolução anseia construir um sistema baseado no Islam real. Contudo, até mesmo nossa visão de Islam real esbarra em inadequações quando procura lidar com os problemas práticos da atualidade.

Temos sorte pelo fato de o Islam ter sido salvo de cair presa de vicissitudes políticas, graças ao esforço e luta incansável de pensadores e clérigos valorosos que preservaram e transmitiram o conhecimento do Islam para as novas gerações.

O pensamento islâmico aprofunda com riqueza inigualável aspectos que transcendem o tempo, o espaço e a realidade material, e lança intensa luz sobre temas que transcendem o mundo cotidiano.[48] A mística islâmica, ou *Irfan*, é única na

48. Uma obra de consulta por excelência é a de Miguel Cruz Hernández: *Historia del pensamiento en el mundo islâmico*: 1. Desde as origens até o século XII no Oriente; 2. O pensamento de Al-Ándalus (século IX - XIV); 3. O pensamento islâmico desde Ibn Jaldún até os nossos dias, Madri: Alian-

história do pensamento humano. Comparado a outros sistemas de conhecimento transcendental, o *Irfan* é o melhor instrumento para lidar com os fenômenos espirituais ou sobrenaturais. Mas hoje, quando queremos ver o Islam na prática e aplicar seus ensinamentos ao mundo material, social e político, encontramos um vazio intelectual que somente pode ser remediado se nos remetermos às fontes autênticas e aos princípios e regras de conduta islâmicos.

As visões utópicas de nossa revolução foram articuladas claramente nos lemas que vieram a definir nossa ideologia nos primeiros dias da revolução. Essas mensagens ora fluíam diretamente das mentes das pessoas, ora eram articuladas pela liderança consciente e esclarecida e abraçadas pelas massas.

Nossos objetivos, no momento, podem parecer fora de alcance. Um sistema de valores é tão forte e durável quanto for a confirmação realista e prática de seus princípios; não pode existir exclusivamente no reino do pensamento e da imaginação. Para concretizar nosso ideal em um mundo "não ideal", devemos achar um equilíbrio apropriado entre a ordem, o bem-estar e a paz em nossa sociedade. Se os ritmos da sociedade não respondem às demandas do tempo em que vivemos, é natural que encontremos verdadeiros quebra-cabeças de dificuldades. É exatamente aqui que precisamos de uma mente aberta. Alcançar um sistema prático, eficiente e harmônico também em relação às demandas da revolução deve ser prioridade máxima.

O tecido da nossa sociedade está impregnado de vícios; dificuldades econômicas e políticas assumem grandes proporções, e ainda sofremos de uma identidade diluída pela "ocidentoxicação"– não somos nem nós mesmos, nem ocidentais. Mas se a raiz do problema estiver em qualquer outro lugar, e devemos resolvê-lo pela raiz, teremos êxito em

---

za Editorial, 1996. Outra é a de R. R. Guerrero, *Filosofias árabes y judías* (Al-Kindi, Al-Farabi, Avicena e Averroes). Madri: Síntesis, 2001.

superar outras dificuldades mais rapidamente, com maior confiança e eficiência.

Em termos práticos, uma vez que dependemos da teologia para dar ordem ao indivíduo e ao mundo social, enfrentamos graves inadequações. Isto indica que nossa teologia precisa evoluir para atender às demandas da revolução e também às necessidades práticas de hoje. Aqui, recorremos às palavras do Imame Khomeini, o líder da revolução islâmica, um muçulmano visionário, filósofo, teólogo e místico, para revelar o vazio e as inadequações que precisamos superar para atingir nossos objetivos:

> "Devemos tornar realizáveis as leis práticas do Islam, que não podem ser impedidas pelo enganoso Ocidente e pelo Leste[49] invasor e seus modos de diplomacia e dominação global. Enquanto a teologia estiver encerrada nos livros e no peito dos clérigos, nenhum dano fará aos devoradores do mundo. E até o clero tornar-se ativo em todas as esferas, não perceberá que a autoridade e o conhecimento religiosos não são suficientes. Os centros de educação religiosa e o clero devem estar em dia com seu tempo, ter o pulso do presente em suas mãos e conhecer as necessidades do futuro. Devem ter respostas à altura e estar sempre alguns passos à frente dos acontecimentos. É provável que os métodos atuais de administrar nossa sociedade devam mudar nos anos que virão. E a sociedade humana poderá usufruir das experiências do Islam".[50]

Todos nós, xiitas, concordamos que o Imame Khomeini ascendeu ao cume do conhecimento místico-religioso. O anseio da revolução por verdade e justiça floresceu sob sua liderança. Baseado em seu pensamento, o clérigo que não

---

49. Ocidente e Leste referem-se aos blocos geopolíticos em que o mundo se dividiu na Guerra-Fria (1945-90): o Ocidente, liderado pelos EUA e o Leste, liderado pela extinta União Soviética.

50. Ruhollah Khomeini: *O livro da Luz* (*Sahifey-e Nur*), Teerã: Markaz-e Madarek Enghelab-e Islami, 1990, v. 21, p. 100.

estiver ciente das demandas de seu tempo, e que viva com idéias atrasadas centenas de anos, não será capaz de aliviar a sociedade das tensões atuais, por mais nobres que sejam suas intenções. Tanto quanto compreender as demandas do presente, é preciso estar em sintonia com os pensamentos e necessidades do futuro, para assim poder modelar os eventos em vez de ficar à sua mercê. Em outra passagem, o Imame diz:

"No governo islâmico, deve sempre haver lugar para a revisão. Nosso sistema revolucionário deve permitir que múltiplos pontos de vista, inclusive opostos, venham a aflorar. Ninguém tem o direito de restringir isso. É crucial entender as demandas da sociedade e do exercício do poder, de modo que o governo islâmico possa realizar políticas que beneficiem os muçulmanos. Unidade em método e ação é essencial. É aqui que liderança religiosa tradicional, predominante em nossos seminários, não será suficiente".[51]

E ainda:

"Um dos maiores problemas da liderança religiosa é o papel do tempo e lugar na tomada de decisões. O governo especifica uma filosofia prática para lidar com a impiedade e as dificuldades internas e externas. Mas estes problemas não apenas não podem ser resolvidos por uma visão puramente teórica da religião, como não devem, pois isso nos levaria a becos sem saída e à violação, ainda que aparente, das leis constitucionais. Mesmo que se possa assegurar que infrações religiosas não ocorram – e espero que Deus não nos traga este dia – é necessário concentrar todos os esforços em assegurar que, ao lidar com questões militares, sociais e políticas, o Islam não pareça carente de sentido prático".[52]

E em outro trecho:

"Quanto à questão dos métodos educacionais e de pesquisa nas escolas religiosas, creio na teologia tradicional e julgo

---

51. Ibidem., p. 47.

52. Ibidem., p. 61

> que se desviar dela seja inapropriado. A direção religiosa é apropriada e correta somente desta forma. Mas isto não quer dizer que a teologia islâmica não seja dinâmica. Tempo e lugar são elementos determinantes".[53]

Não devemos ter dúvidas de que muitas das noções que nos guiaram até aqui não são suficientes para lidar com os assuntos sociais, e que é preciso desenvolver uma nova visão e entendimento, pois contar com a liderança religiosa é necessário, mas não é suficiente. Se esta preocupação central for eclipsada por assuntos periféricos, a sociedade se manterá atrasada e não encontrará uma solução desejável para seus problemas. Apesar da gravidade desses problemas, não podemos perder a esperança no futuro. Mais importante ainda é que nossos jovens possam manter uma presença ativa e esperançosa na cena social.

O falecido Imame foi uma bênção insubstituível para nossa revolução e o estabelecimento da República Islâmica. Seu legado se mantém como de um grande restaurador da religião de Deus em nossa época. Sua maior diferença em comparação a outros restauradores religiosos é o papel central de liderança no estabelecimento do governo islâmico. Ele estava ciente de que se líderes religiosos, pensadores e intelectuais não fossem confrontados com problemas práticos não pensariam em soluções. Assim, quando o Islam surgiu na cena política, tomou o poder em suas próprias mãos, estabeleceu um governo e confrontou a necessidade de corresponder às expectativas racionais de todos que haviam depositado suas esperanças na revolução. Este encontro foi um grande passo em direção ao estabelecimento de um novo sistema de pensamento, valores e habilidades apropriado ao nosso tempo e lugar, capaz de atender às necessidades humanas dentro de um marco islâmico.

O maior legado do Imame é, de fato, o estabelecimento do governo islâmico, que se mantém de pé, apesar das pressões

---

53. Ibidem., p. 98

e conspirações para derrubá-lo. Os inimigos podem ter desejado que, após a morte do Imame, os pilares do sistema desmoronassem. Mas, com a graça de Deus, isto não aconteceu. A institucionalização da liderança pós-Khomeini e nossa continuidade no caminho da luta revolucionária são fonte de grande esperança para todos nós.

Outra fonte de esperança é a situação atual da humanidade em nossa era. Nossa revolução fez emergir uma tempestade pelo mundo islâmico e entre os oprimidos de todo o mundo. Desta forma, os anseios utópicos e o poder explosivo latente no coração dos despossuídos do mundo dão grande sustentação à nossa revolução. Se nós entendermos essa força e a usarmos efetivamente, seremos capazes de confrontar o adversário apesar de sua hegemonia econômica, militar e política. Se confiarmos nas visões utópicas que nossa revolução despertou por todo o mundo islâmico, e além dele, e acreditarmos que os defensores de nossa revolução estão prontos para se sacrificar por ela, a vitória estará ao nosso alcance. O que acrescenta mais esperança ao nosso futuro é que nosso oponente – apesar de todo seu aparente poderio – ficou velho e aproxima-se do fim. A crise no pensamento e na civilização do Ocidente denuncia sua decrepitude.

Novamente, nosso maior problema é, de um lado, a oposição fundamental dos valores de nossa revolução ao que é dominante no mundo e, de outro, nossa falta de experiência prática em instalar um governo religioso autêntico. O que devemos fazer para resolver este problema, para que possamos, com a ajuda de Deus, assegurar que esta revolução supere os perigos que a ameaçam?

Os mais ingênuos ou menos sofisticados entre nós podem optar pela alternativa simplista da censura para tentar impedir que valores e pensamentos de nossos oponentes alcancem e subvertam nosso povo. Mas é esta uma solução viável?

A capacidade limitada e a visão truncada de alguns podem levá-los a atacar tudo que não se encaixe em suas mentes fechadas como sendo contrário ao Islam, à revolução e ao legado de seus mártires. Infelizmente, há círculos em nossa sociedade que, embora desprovidos de lógica apropriada, pretendem-se os pilares da revolução e do Islam, e acusam os demais de ser contra o Islam e a revolução, enquanto tentam expulsá-los da arena política a qualquer custo.

Mas qual é, exatamente, a medida para julgar o que é aceitável e o que não é? Qual estratégia devemos adotar frente às dificuldades e o inimigo? Deveria nossa política cultural ser de censura e restrição de acesso a todas as fontes das quais discordamos? Pode uma política de isolamento da comunidade internacional ter êxito no mundo de hoje?

Ao longo da história, o Islam nunca pregou ou aceitou o isolamento e acesso restrito como uma política viável. Em certos períodos, isto foi imposto aos povos em nome do Islam, o que provocou danos irreparáveis, mas tal política não durou muito tempo. O Islam sempre acolheu opiniões antagônicas de braços abertos. Pensadores muçulmanos têm buscado ativamente o encontro com as mais diversas concepções culturais, e esta abertura dotou a civilização islâmica de grande riqueza intelectual.

Ao mesmo tempo, censura e restrições não são atitudes práticas no mundo de hoje. Canais de informação acessíveis ao nosso povo não estão limitados às fontes governamentais. Mesmo que conseguíssemos impedir que todo e qualquer texto que julgássemos impróprio fosse publicado, que todos os jornais e revistas deixassem de imprimir até o menor detalhe que ofendesse nosso critério, que desaprovássemos a produção de qualquer filme que considerássemos nocivo, será que esses pensamentos e opiniões oficialmente banidos não encontrariam algum outro meio de chegar às pessoas?

Ao julgar o que é bom e mau no mundo das idéias, fixações rígidas e dogmas podem substituir uma lógica articulada e avaliações realísticas, causando-nos grande prejuízo. É ingênuo supor que os canais estatais são a única fonte de acesso das pessoas às comunicações internacionais e intersociais. Hoje, a transmissão global de imagens eletrônicas de comunicação de massa não está sob o controle de nenhum governo. Como poderíamos impedir mentes dinâmicas e curiosas de acessar o que desejam conhecer? Como poderíamos erguer um muro entre estas mentes e o mundo exterior? Com o rápido avanço da tecnologia da comunicação, que se está tornando acessível a segmentos cada vez maiores da nossa população, o controle da difusão de imagens será ainda menos realista e prático no futuro.

Isto não quer dizer que nosso sistema islâmico não deva impor limitações e restrições ao acesso à informação. Isto também seria irreal. Nenhuma forma de governança pode existir sem impor algumas restrições, e mesmo as mais desenvolvidas democracias liberais não estão isentas dessa regra. Mas há uma diferença entre um sistema que confia na restrição como estratégia principal e um sistema que a usa ocasionalmente para lidar taticamente com temas sensíveis e vitais. Todo sistema precisa impor alguma forma de restrição quando sua existência e os fundamentos de seu governo estão em perigo. Entretanto, no geral, o Islam, historicamente, nunca se baseou na restrição e na censura.

A estratégia cultural de uma sociedade islâmica dinâmica e vibrante não pode ser o isolamento. Por princípio, o Islam recusa-se a erguer cercas em torno da consciência das pessoas. Nossa estratégia, hoje e sempre, deve centrar-se em tornar o povo imune, criando-o e educando-o para resistir, por si próprio, ao assalto cultural do Ocidente. Somente uma estratégia de imunização representa uma solução viável para hoje e amanhã. Isto requer que várias visões díspares convivam e digladiem-se em nossa sociedade. Como é possível tornar o corpo imune sem uma dose controlada de vírus, de modo que possa resistir a uma invasão mais ampla e ameaçadora? A maneira de tornar o corpo resistente aos vírus não é certamente impedir que se aproximem. Em vez disso, precisamos ver e confiar que o organismo vivo tem em si os anticorpos para resistir à infecção. Na sociedade, também, não pode ser de outro modo. Uma sociedade ativa e desenvolta precisa estar em contato e em comunicação com outras diferentes, algumas vezes antagônicas, para ser capaz de se auto-equipar com um pensamento mais poderoso, atraente e eficiente. E se as forças do pensamento revolucionário e religioso realmente quiserem preservar o sistema revolucionário, não têm outra escolha senão oferecer à sociedade um pensamento adaptável e avançado.

No princípio da revolução, o Imame Khomeini nos aconselhou a não excluir aquilo que achássemos indesejável. E temos orgulho de nossa revolução ter dado seus primeiros passos com base na liberdade. Isto não foi uma conseqüência involuntária e não planejada da revolução e de seus líderes. Desde o começo, o princípio foi o de que todos pudessem expressar seus pensamentos, a menos que estivessem envolvidos em conspirações. No caso dos grupos que não quisessem usar esta liberdade de maneira sábia e justa, preferindo, em vez disso, abusar e subverter esta possibilidade, eles é que estavam em falta com a liberdade, não a revolução. A sociedade sofreu grandes danos pelas ações impróprias dos conspiradores. Foram os que abusaram da liberdade, os que não defenderam a supremacia do pensamento e da racionalidade, e tentaram corromper a atmosfera de franqueza para usá-la em função de suas ambições autocráticas. Não compreenderam que um governo sustentado pela vontade e pela crença do povo, regado pelo sangue dos mártires e pelo esforço abnegado de milhões de fiéis, permaneceria firme contra a conspiração. O limite da oposição legal era a conspiração, e o mesmo é válido também para hoje.

A idéia do que exatamente constitui uma conspiração também precisa ser bem esclarecida. Devemos ter uma visão ampla e aberta dos problemas sociais; não raro, mentes limitadas e dogmáticas têm usado a "desculpa da conspiração" para afastar seus oponentes da arena política. Nosso sistema precisa de transparência, responsabilidade e disciplina.

As idéias de certos grupos — temerárias e superficiais, mas com intenção política — não podem nem determinar os melhores interesses da sociedade, nem compreender a conspiração e seus limites. De outro modo, qualquer um poderia desferir ataques a pensamentos diferentes de suas próprias e limitadas preferências, com a desculpa de estar defendendo os interesses do país, da revolução e da religião.

Para resolver nossos problemas fundamentais, devemos construir e oferecer uma lógica e pensamento superiores, bem como soluções mais atraentes para as angústias da sociedade. Somente desse modo poderemos dar esperança ao povo que abraçou a revolução, e contribuir para seu bem-estar material e espiritual. Devemos esforçar-nos para montar um sistema tão solidamente assentado que não apenas resista aos encontros com outros sistemas, mas possa mostrar ainda mais vigor e preeminência. Este ímpeto à auto-afirmação tem protegido e enriquecido o pensamento islâmico e a essência da crença religiosa no decorrer dos tempos.

Um sistema como o nosso, baseado numa ideologia utópica islâmica, inevitavelmente restringirá algumas liberdades individuais; e é natural que um sistema religioso revolucionário proíba muito do que é acessível às pessoas – particularmente aos jovens – no Ocidente. Os impulsos irrefreáveis da juventude são melhor satisfeitos no Ocidente, e os instintos hedonistas são atendidos em maior grau; no sistema islâmico, uma multiplicidade de regras religiosas interpõe-se no caminho. Para tornar nossa sociedade estável e forte, precisamos ensinar aos jovens um caminho mais digno que o hedonismo, de forma que possam usufruir também do prazer da abstinência.

Visões utópicas podem manter as pessoas, especialmente os jovens, confiantes e animadas. Os jovens muçulmanos devem descobrir que, por meio de limitações e restrições impostas, estão sendo, ao mesmo tempo, dotados de caráter, e suas vidas de uma direção que lhes proporcionará dignidade, grandeza e serenidade. Necessidades emocionais e mentais das pessoas devem ser atendidas; e se o Islam que oferecemos fracassar nisto, as fundações de nossa sociedade não serão estáveis.

Cumprir a visão utópica da revolução islâmica dentro e fora do Irã é uma necessidade urgente para assegurar nossa sobrevivência. Para afirmar nossa identidade é necessário estar efetivamente presente e defender o Islam e o Irã em todos os fóruns e convenções internacionais. Mas nós não poderemos florescer definitivamente e fazer que nosso peso seja sentido na cena internacional – cujas regras são estabelecidas por interesses antagônicos – a menos que mantenhamos nosso idealismo. Por que tivemos problemas culturais menos urgentes durante a guerra de oito anos com o Iraque? Porque uma onda maciça de jovens revolucionários estava nas linhas de frente e as pessoas viam a si próprias como defensoras da revolução e do país. Esta presença ativa encheu a todos de esperança e orgulho. Nossa juventude percebeu que suas vidas poderiam assumir um novo significado, e que atingiriam um crescimento espiritual com o qual poderiam enfrentar opressores e tiranos. Agora, finda a guerra, que sentido deverá tomar seu lugar? A única solução eficiente é preparar o terreno para um ativo envolvimento da nova geração em todas as áreas em que seus talentos possam desenvolver-se e servir a propósitos frutíferos. Se a nova geração não se sentir ativa e útil na sociedade, é natural que se sinta excluída.

Para revigorar nossa sociedade, os pensadores precisam ver no Islam um sistema de lógica superior e de soluções engenhosas. Ao mesmo tempo, todas as forças sociais devem estar ativas no processo político e social. Aqui, a maior missão dos intelectuais é entender o Islam real, aquele que nossa revolução desenhou para triunfar.

Vivemos num mundo que de muitas maneiras está em oposição à orientação da revolução islâmica; queremos organizar nossas vidas com base no Islam, mas precisamos descobrir exatamente que tipo de Islam é este, e cabe a nossos seminários e universidades ajudar-nos nesta questão. Para decidir que tipo de Islam queremos, precisamos superar as disputas de facções, de modo a poder traçar nosso caminho futuro tendo por base o tipo correto de Islam. É natural que existam divergências de opinião a respeito do que é o Islam. Ainda assim, ao longo do século passado, se não em toda a história islâmica, confrontamos três "Islams" distintos.

Tradicionalmente, encontramos um Islam retrógrado, um Islam diluído e um Islam real. Em qual desses três nossa revolução se baseou, e qual deles pode salvar nossa sociedade e nos trazer dignidade e orgulho? Acreditamos que a base de nossa revolução é o Islam real, o mesmo Islam que tem suas raízes na Revelação e em uma sólida perspectiva monoteísta – um Islam que acredita na dignidade inerente do ser humano e busca uma felicidade lúcida para a humanidade, um Islam constantemente em evolução que encontra soluções para os novos problemas que emergem. Por toda a história, esta interpretação do Islam defendeu a si própria da impiedade e da corrupção, mas nunca lhe foi dada a oportunidade de afirmar-se na esfera sociopolítica.

É imprudente crer que, pelo fato de nossa revolução ter triunfado e uma república islâmica tenha sido estabelecida, a vitória do Islam real esteja assegurada. Não, nós enfrentamos graves dificuldades e perigos. Mas, em primeira instância, os adeptos do Islam real precisam equipar-se, mais do que nunca, com racionalidade, pensamento e lógica. A batalha das idéias é, de longe, mais fatal e determinante que o conflito político e militar. Primeiro, temos de ver qual Islam aceitamos e porquê. Somente então reuniremos suficiente peso moral e intelectual para confrontar nossos oponentes. A experiência revolucionária nos tem ensinado lições inestimáveis que não podemos esquecer.

Desde os primeiros dias em que o Imame Khomeini assumiu a cena, começou sua luta inspirada contra a tirania, a dependência, a corrupção, a degradação cultural e o imperialismo norte-americano. Nas hierarquias do clero educado e mais antigo, houve os que se opuseram ao método de luta do Imame e sua interpretação do Islam. Alguns simpatizavam com a monarquia; outros foram guiados por seus próprios interesses. A maioria dessas pessoas não era de traidores, mas tinha uma interpretação do Islam que não acompanhava a revolução. Outros apoiaram o Imame nos passos iniciais, mas deixaram de fazê-lo quando a situação ficou mais séria.

Muitos dos seguidores do Imame suportaram a prisão e o exílio para ver a revolução triunfar. Foram e são gente boa, dedicada, mas depois, quando chegou o tempo de institucionalizar a revolução, suas visões do Islam desviaram-se da do Imame.

Em muitos casos, depois da revolução, quando o tema da justiça social e do combate à desigualdade ganhou expressão, alguns vociferaram que o Islam estava em perigo. Não estou dizendo que todos que aderiram aos lemas da justiça social e da luta contra a desigualdade estavam no caminho certo. A questão, aqui, é o princípio da própria justiça social, e daqueles que nem sequer quiseram levantá-la, resistindo a todos os passos práticos que queríamos tomar para amenizar o problema. Tais pessoas não podiam tolerar o fato de o Islam do Imame buscar a justiça social, e então subverteram todos os esforços nesta direção. O Imame foi compelido a enfrentar esta linha de pensamento, afirmando que, na base do Islam que ele havia introduzido, alcançar a justiça social estava entre os objetivos primordiais da revolução.

Houve os que achavam que o lugar das mulheres era em casa, argumentando que a presença das mulheres nos locais de trabalho levava à corrupção e decadência moral; opunham-se ao ensino superior para as mulheres e ao envolvimento feminino em assuntos sociais. Este foi outro critério que se introduziu sob a fachada de Islam. No final do primeiro Parlamento (*Majlis*) eleito depois da revolução, alguns círculos influentes tentaram convencer o Imame que às mulheres não devia ser permitido candidatar-se. O Imame confrontou este posicionamento de forma resoluta e defendeu o direito das mulheres a participar das eleições. Houve os que alegaram que ninguém além do clero poderia participar da política; desconfiavam especialmente dos estudantes universitários e acadêmicos, rotulando-os de "desviados", apenas por serem intelectuais. Proibiram, assim, uma grande parte da sociedade de se envolver em seu próprio destino político. Tentaram justificar tudo isto em nome do Islam. Uma vez mais, o Imame respondeu rapidamente, repreendendo suas idéias retrógradas.

Alguns criticaram todos os programas sociais e culturais ao ponto de forçar o próprio Imame a defender explicitamente os benefícios para atividades culturais para não deixar margem de dúvida. Outros se opuseram a todas as manifestações musicais, cinematográficas e teatrais; não eram contrários a algumas formas de arte, mas a toda expressão artística em geral. Alguns ainda opuseram-se à transmissão de eventos esportivos na televisão por considerá-los pecaminosos. O Imame combateu esses critérios religiosos restritivos e retrógrados, alegando que a maior parte do que censuravam era, de fato, benéfico para a sociedade. Nos últimos anos de sua prolífica vida, o Imame fez a crítica mais penetrante ao dogmatismo religioso: "Devemos esforçar-nos em romper as cadeias da ignorância e da superstição para alcançar a fonte fresca do Profeta. Hoje, a coisa mais árdua para as pessoas é este Islam e seu resgate requer sacrifício; rogo para que eu mesmo seja um dos que se sacrifiquem".[54]

Os que verdadeiramente crêem na revolução e desejam dignificar o Islam escolherão o Islam articulado pelo Imame. Isto não quer dizer que outros não tenham o direito de publicamente expressar suas opiniões. Todos têm o direito de

---

54. Ibidem., p. 41

opinar dentro da lei e das fronteiras da racionalidade. Entretanto, devemos saber sobre qual interpretação de Islam nossa revolução está assentada. Será que os grupos que nosso Imame inúmeras vezes repreendeu têm o direito de impor suas opiniões extremadas sobre o povo e de qualificar seus oponentes como sendo contra o Islam e a revolução?

Clérigos retrógrados e dogmáticos, os quais o Imame destacou como maior perigo para a revolução, não estão inativos. O devoto verdadeiro e esclarecido tem de ter cuidado com o perigo que representam e estar em guarda contra eles.

Junto com a versão retrógrada do Islam, temos o setor que crê num Islam diluído, uma forma de fé fabricada, sem autenticidade, que meramente passa pelas exteriorizações de piedade sem nenhum conhecimento do Islam ou crença real em seus ensinamentos. Seu Islam tem tantos elementos estrangeiros, importados, que não pode ser chamado de Islam. O Islam diluído representa uma das mais perigosas brechas para a invasão cultural do Ocidente. Correntes políticas não-islâmicas e antiislâmicas nunca gozaram de uma base popular e nunca foram vistas como o principal perigo. Mas aqueles que têm aparência piedosa e estão ativos na sociedade com idéias emprestadas do Ocidente ou outras regiões têm podido difundir suas idéias em partes da sociedade.

Oposto a estas visões retrógradas e diluídas do Islam, temos de reconhecer o Islam real, e o segredo de nossa sobrevivência e êxito é o entendimento e implementação deste Islam, sob cuja sombra poderemos atravessar com segurança pelos perigos que ameaçam a existência e a saúde da revolução e nossa sociedade. Este é o mesmo Islam que o falecido Imame personificou e pelo qual um grande pensador como Mutahhari[55] foi martirizado. Temos de descobrir o verdadeiro

---

55. Murteza Mutahhari (1919-79): pensador e clérigo iraniano que mediou a reconciliação entre o seminários tradicionais e as universidades. Em seus textos, tornou os conceitos tradicionais islâmicos e o relacionamento entre

propósito dos pronunciamentos do Imame, particularmente os de seus últimos anos de vida. Uma pequena observação mostrará que a sua crítica foi dirigida às concepções de Islam que impedem o progresso e o desenvolvimento, paralisando a busca por soluções às dificuldades que nossa sociedade enfrenta.

Se o Islam diluído assassinou Mutahhari, o Islam retrógrado tentou negar a substância de seu pensamento. As confrontações dirigidas a personalidades como Mutahhari e Beheshti[56] em nossa sociedade são graves e alarmantes, e eu mesmo fui testemunha de como esta corrente se comportou indignamente com Hashemi-Rafsanjani[57] quando ele levantou o tema da justiça social. Para conhecer o Islam real e nele assentar nossa sociedade, nossa maior fonte de inspiração é a juventude religiosa e devota em nossos seminários e universidades. Auxiliados pelo conhecimento e piedade de clérigos eminentes, precisamos formar novos quadros de intelectuais religiosos, modernos e esclarecidos, e marchar incansavelmente em direção ao entendimento da visão específica do Islam que é a base de nossa revolução. É entendendo e explicando este Islam que nos tornaremos imunes a outras escolas de pensamento.

---

o Irã e o Islam acessíveis aos seus contemporâneos. Foi assassinado por oponentes armados da República Islâmica alguns meses após a revolução.

56. Aiatolá Muhammad Hussein Beheshti (1921-1981): teólogo e jurisconsulto, fundador do Partido da República Islâmica e íntimo colaborador do Imame Khomeini. Foi morto com outros 72 dirigentes em um atentado com explosivos que arrasou a sede do PRI em 28 de junho de 1981. Cf. M. H. Beheshti e M. Y. Bahonar, *Introducción a la filosofía islámica*, Buenos Aires: Editorial Alvorada, 1988.

57. Huÿÿatulislam Alf Akbar Hashemi Rafsanjani: teólogo, escritor e político, sofreu várias prisões por sua militância antimonárquica. A partir da fundação da República Islâmica cumpriu funções como ministro do Interior (1979), presidente do Parlamento (1980-84 e 1984-88) e presidente da República (1989-93 e 1993-97).

CAPÍTULO 8

O diálogo entre civilizações e o Mundo do Islam

Pelo nome de Deus, o Beneficente, o Misericordioso

O fato de 2001 ter sido consagrado pela ONU como o "Ano do Diálogo entre Civilizações" nos traz mensagens importantes e notáveis. Talvez poucos temas tenham sido aceitos e acolhidos pelo mundo como este. O que apresentamos a seguir é um breve sumário do debate sobre este assunto.

1. A aprovação dessa sugestão indica a urgência da humanidade por diálogo e entendimento.

2. Esta idéia, sua elaboração e aprovação se apresentam no momento em que acabamos de deixar para trás um século de guerras, turbulências, usurpação, discriminação e terror. Felizmente, nessas guerras e atritos, o mundo islâmico não desempenhou papel algum, tendo sido vítima de guerras de agressão. As duas guerras mundiais foram as mais sangrentas e já antecipavam a dolorosa condição que aflige o mundo de hoje. Ambas se desenrolaram no Ocidente, pelas mãos de ocidentais. As violações dos direitos humanos mundo afora ocorreram além das fronteiras do mundo islâmico. Os direitos dos povos da Ásia, África e América do Sul, e especialmente do povo oprimido da Palestina, foram pisoteados. Essa iniqüi-

dade foi imposta mesmo a países não-muçulmanos que não estão entre as nações industrializadas. Com este cenário, ao final de um século cheio de sangue, guerras e conflitos, o raiar do terceiro milênio da Era Cristã sob o signo de "Diálogo e Entendimento" é augúrio de um futuro mais luminoso e promissor para a humanidade.

3. Fato importante e significativo é que esta idéia, abraçada pelo mundo, foi apresentada por muçulmanos, uma demonstração de autoconfiança por parte das nações islâmicas, especialmente na segunda metade do século XX. O país proponente do "Diálogo entre Civilizações" é também o herdeiro de uma civilização e uma cultura sólidas, que reconhecem que as relações entre os seres humanos não se devem constituir pela imposição e pela força, mas pela racionalidade e pelo diálogo. A religião e a história nos ensinaram esta lição. Foram os muçulmanos que puseram os ocidentais em contato com sua história, filosofia e direitos civis. A transferência da ciência, da filosofia e da sabedoria dos gregos foi resultado do contato dos europeus com os muçulmanos. Eles aprenderam conosco a tolerância. Hoje, é irônico que nos falem do valor moral da tolerância. A grande civilização ocidental tem dívidas para com a civilização islâmica.[58]

---

58. Há uma bibliografia considerável sobre a civilização islâmica. Alguns títulos recomendáveis são (por ordem cronológica de edição): S. H. Nasr, *Science and civilization in Islam*, Nova York: New American Library, 1969; J. A. Williams, *Themes of islamic civilization*, Berkeley: University of California, 1971; A. J. Arberry, *Aspects of islamic civilization: the moslem world depicted through its literature*, Lansing: The University of Michigan Press, 1971; M. Lombard, *L'Islam dans as première grandeur*, VIIIe-IXe siècles, Paris: Flammarion, 1971; D. e J. Sourdell, *La civilización del Islam clásico*, Barcelona: Editorial Juventud, 1981; A. Miquel: *L'Islam et sa civilization*, Paris: Armand Colin, 1990; S. K. Jayyusi (edit.), *The legacy of Muslim Spain*, 2 vols., Leiden, 1994; T. Buckhardt, *La civilización hispano-árabe*, Madri: Alianza, 1995; M. Arkoun, C. Cahen, M. Rodinson e outros, *Dic-*

Mas é certo que uma grande distância separa nossa antiga civilização de nosso estado atual.

4. O Diálogo entre Civilizações pressupõe igualdade entre povos e nações. Em outras palavras, só é possível conduzir um diálogo quando se respeita a outra parte e a considera como um igual. A relação de colonialismo que vigorou em certas partes do mundo nos últimos dois ou três séculos foi resultado da divisão dos povos e nações em cidadãos de "primeira" e "segunda classe", isto é, entre os países que têm um direito inerente de ser "senhores" e os tidos por "inferiores", que não têm escolha senão obedecer. A guerra brota do fato de uma parte atribuir a si própria direitos maiores, e, por dispor de poder, estar na posição de servir aos próprios interesses a qualquer custo, mesmo o da guerra. Uma guerra desse tipo é fruto da discriminação e da injustiça. No entanto, a proposição de um Diálogo entre Civilizações pressupõe a igualdade entre as nações, o que é uma grande conquista para a humanidade.

5. Presentemente, contando com muitos elementos comuns, nós, muçulmanos, devemos fazer um esforço sincero para reduzir diferenças, pois uma porção razoável dos conflitos existentes entre nós tem origem em diferenças de jurisprudência religiosa, de cultura e de significado de certas palavras. Outras dificuldades têm sido interpostas por aqueles que não desejam a unidade do mundo islâmico e tiram proveito das diferenças existentes entre nós. É sempre possível superar as diferenças, exceto as naturais, já que somos por natureza diferentes. Não pensamos igual, nem temos interpretações idênticas. Portanto, à luz do entendimento e de muitos elementos que temos em comum, podemos minimizar as diferenças e fazer delas meios de aperfeiçoamento

---

tionnaire de l'Islam: religion et civilization, Paris: Albin Michel, 1997; *The encyclopedia of Islam* CD-ROM Edition, Leiden: E.J. Brill, 1999.

e progresso. Pensamentos similares nunca se confrontam. Confrontar dois modos distintos de pensar não é um exercício livre de problemas, mas mesmo assim devemos fazê-lo, pois produz evolução e aperfeiçoamento. O importante é que a dicotomia entre idéias não leve a desacordos, contradições, agressões e guerras. Para conseguir isto, devemos em primeiro lugar retornar às raízes da unidade, e em seguida entender que, se desejamos manter um diálogo, temos de nos inclinar à sabedoria e à racionalidade.

6. Uma das pragas que podem ser encontradas nas sociedades religiosas – e, infelizmente, o mundo islâmico já foi algumas vezes acometido por ela – é a falsa concepção segundo a qual, uma vez que existe a religião, o homem pode prescindir da razão. Isto implica acreditar que se pode contar ou com a razão, ou com a religião, ignorando o fato de que se pode compreender inclusive a religião por meio da razão. Acaso existe outra ferramenta mental que não a razão? A diferença entre ter fé ou não tê-la não reside em que o homem sem fé usa a razão, enquanto o religioso dela prescinde. Ambos necessitam igualmente do poder da razão e devem usá-la. A diferença está em que o homem de fé dispõe de dois livros, enquanto o descrente tem um só. As bases do conhecimento do fiel são mais amplas, portanto suas realizações são mais ricas. Já o homem que não crê em Deus e na inspiração conta apenas com o Livro da Natureza, ao qual se remete com ajuda da razão. O religioso também dispõe desse livro e, como é da natureza do ser humano, por meio da razão ele estuda a natureza, adquire conhecimento, compreende a ciência e a filosofia; mas, além disso, ele se beneficia de outro livro, o Livro da Lei e da Inspiração Divina. Aqueles que opõem a religião à razão tomam por "religião" suas próprias interpretações errôneas. É verdade que a inspiração está além do tempo e do espaço, mas existimos no tempo e no espaço. Assim sendo, também nossa compreensão do

Livro da Criação e das Leis Divinas está limitada ao tempo e ao espaço. Dessa maneira, o conhecimento evolui; em determinada época, os homens têm determinada compreensão, enquanto que, em outra, essa compreensão evolui; a compreensão anterior pode ainda vir a ser negada, transformada, ou mesmo substituída pela compreensão presente. Embora o homem seja dotado do espírito divino e se beneficie de dimensões que estão além da natureza, do tempo e do espaço, grande parte de seus desejos, sentimentos e pensamentos a eles está submetida. Aqueles que consideram suas próprias noções de Deus, do Livro Sagrado e da religião como idênticas a Deus e à religião confundem a "idéia" que fazem com "as coisas" em si, e não estarão dispostos a mudar sua visão. Como resultado, sacrificam a razão em tributo a suas convicções, que são condicionadas ao tempo e ao espaço. Se nós, muçulmanos, aspiramos a um futuro melhor e a construir uma vida próspera, que seja um modelo para a humanidade, que honre a grandeza de Deus e a mensagem do Profeta, devemos confiar na maior bênção de Deus – a razão.

7. Nossa identidade tem raízes no passado, mas isto não significa que devamos regredir. A revelação de Deus que desceu sobre nós não pertence a uma única época; precisamos remeternos ao passado, mas permanecer nele seria retrocesso e involução. Quando nos voltamos para o passado é para encontrar uma base a partir da qual nos possamos lançar ao futuro.

8. Para avançarmos rumo ao futuro, precisamos entender o mundo e tirar todo o proveito das conquistas do pensamento humano e da civilização, onde quer que estejam. Apenas nessas circunstâncias poderemos renovar a grandeza do passado e, em harmonia com nosso presente e nosso futuro, dar forma a uma vida abençoada com atributos e inspiração divinas, na qual tanto a razão quanto os direitos humanos sejam tratados com respeito.

9. Outro flagelo de nosso tempo deve-se às situações em que religião e liberdade se colocam em oposição. No Ocidente, durante a Idade Média, a religião foi empregada contra a razão e a liberdade, em prejuízo de todos. Hoje, nos sistemas liberais, a liberdade existe, porém despida de espiritualidade, apartada da dimensão espiritual da vida humana. Em conseqüência, a vida contemporânea enfrenta muitas dificuldades, o que é reconhecido pelos próprios ocidentais. Religião sem liberdade equivale a escravidão, a uma vida na qual o homem está desprovido de honra e dignidade. A religião não pode colocar-se contra a razão e a liberdade. Ao contrário, a religião pode ser o berço e o alimento para a razão, a liberdade e a liberalidade. A religião de Deus ensina esta lição. Firmando-nos nesses parâmetros e em outros fatores, devemos preparar-nos para um "diálogo entre civilizações", e transmitir ao mundo a grandeza latente dos fundamentos de nossa religião e civilização.

10. Precisamos ter os braços abertos para nos beneficiarmos dos aspectos positivos de outras civilizações e culturas. Esta é a verdadeira "adoção", no sentido de aceitar, adaptar e implementar outras idéias e conquistas, o que é essencialmente uma arte humana. Foi por ela que o homem pôde entender seu passado e sua identidade, pôde fundamentar sua vida na sabedoria e na razão e fazer bom uso daquilo que outros já haviam realizado. E isto é muito diferente da mera imitação.

CAPÍTULO 9

Diálogo entre Oriente e Ocidente*

Comparecer a uma reunião acadêmica sempre foi uma experiência prazerosa e proveitosa para mim. Em um encontro como esse, os procedimentos giram, no mais das vezes, em torno de três funções: falar, escutar e entender. O entendimento resulta de falar e escutar, e estas duas funções, combinadas com a de observar, constituem a atividade física, psicológica e espiritual mais importante do ser humano. O que se ganha com a observação expande o domínio dos conhecimentos de uma pessoa, e também consolida a consciência de sua própria presença, o sentimento de "eu existo". Falamos com os outros e escutamos aos outros, mas o olhar está fundado na subjetividade de cada um, na própria base do que chamamos "eu": o mundo e o homem pertencem ao domínio da visão, são objetos do universo que eu posso ver. Mas falar e ouvir combinam-se para produzir um esforço bilateral – por vezes multilateral – para se aproximar da verdade e atingir o entendimento mútuo. É por isso que o diálogo nada tem a ver com os céticos, nem com os que se consideram os únicos donos da verdade. Ao contrário, o diálogo revela sua face, bela porém encoberta, apenas àqueles que, em sua jornada pessoal de descoberta, interagem com os demais peregrinos.

---

* Discurso proferido no Instituto Universitário Europeu, em Florença, 10 de março de 1999.

A expressão "diálogo entre civilizações", que deve ser interpretada como a disposição de conversar com outras civilizações e culturas, baseia-se em uma definição da verdade, que não difere necessariamente das definições de verdade que encontramos nos textos filosóficos. O diálogo entre civilizações requer que se ouçam e se conheçam outras civilizações e culturas, e a importância de ouvir os outros de maneira alguma é menor do que a de falar aos outros. De fato, ouvir pode ser mais importante.

Falar e escutar é o que cria uma conversação; uma parte se dirige à outra e há, então, um diálogo, um intercâmbio de discursos. Em quais circunstâncias o discurso é dirigido aos homens? Em outras palavras: em que tipo de mundo o discurso se produz? O mundo da ciência não é o mundo do discurso – a ciência é um esforço consciente para descobrir as relações entre objetos, e, por isso mesmo, o discurso científico não transcende o nível da consciência humana. Mas o mundo da arte e o da religião são mundos do discurso por excelência. Uma obra de arte se revela a nós e, no âmbito da religião, Deus dirige palavras aos homens. É por isso que as linguagens da mística e da religião estão ligadas por laços profundos e genuínos, e é também por isso que as mais antigas obras de arte criadas pelo homem são exemplares de arte sagrada.

O homem é interpelado uma e outra vez na *Bíblia* e no *Sagrado Corão*, e é por meio desse chamado que o ser humano individual é elevado e se torna uma pessoa.

Etimologicamente, a palavra "pessoa" se relaciona a *personae*, a máscara com que os atores cobriam o rosto no teatro grego. Mas o que importa aqui é que, no conceito do discurso religioso, Deus se dirige ao homem em um nível geral e universal, e não nos termos específicos do ensinamento religioso e dos códigos de conduta. O discurso divino não é dirigido a nenhum dos aspectos psicológicos, sociais ou históricos do ser humano; é dirigido à verdade do homem, não à sua natureza histórica e individual, e é por isso que as religiões divinas não são, em essência, diferentes entre si. As diferenças emergem das leis religiosas e códigos de conduta, que governam a vida social e jurídica dos seres humanos.

Agora, devemos nos perguntar quem é a pessoa a quem essa mensagem é dirigida?

Desde os tempos mais antigos, filósofos dedicaram a maior parte de seu tempo e sua energia à tarefa de responder a esta questão. Eles têm tentado explicar como e de que maneira podemos chegar a conhecer o homem, conhecê-lo intimamente, em termos absolutos. A questão de saber como chegar a conhecer a si mesmo e alcançar a meta do autoconhecimento constitui a parte mais importante da investigação filosófica.

Recontar toda a fascinante história da antropologia filosófica, e os episódios que tratam da descoberta e do conhecimento de si mesmo, é algo que ocuparia muitas e longas noites das "mil e uma noites" da história da filosofia. Algumas dessas histórias foram contadas primeiro no Oriente, outras se originaram no Ocidente. É interessante notar que as histórias do Oriente explicam o lado "oriental" do ser humano, enquanto as do Ocidente revelam as propriedades do seu lado "ocidental". O ser humano, na verdade, é o ponto de encontro entre o Oriente, que pertence à alma, e o Ocidente, que é a razão. Negar a existência de qualquer de suas partes essenciais amesquinharia nosso entendimento do significado do ser em sua totalidade. Em nosso esforço para abarcar o significado da pessoa, devemos ter cuidado para não cair nas armadilhas do individualismo ou do coletivismo. Embora os pontos de vista expressados pelos pensadores cristãos tenham ajudado a cristalizar o conceito moderno de indivíduo, isso não deve ser tomado como se implicasse um vínculo natural entre essas duas perspectivas, assim como a profunda atenção concentrada no significado da pessoa, como receptora da Palavra Divina, não deveria ser creditada, em minha opinião, à influência do personalismo.

Por certo, todos têm dito que, na sociedade moderna, o critério e o parâmetro para todas as instituições, leis e relações sociais são os seres humanos individuais, e que os direitos civis e os direitos humanos não são, de fato, outra coisa senão os direitos do próprio indivíduo. Por outro lado, o coletivismo, que foi contraposto ao individualismo, foi formulado pela multiplicação deste mesmo conceito de indivíduo. Logo, as duas ideologias têm o mesmo fundamento filosófico. Por essa razão consideramos, a partir de nossa posição de sabedoria espiritual, que o antagonismo entre o liberalismo individualista e o coletivismo socialista é superficial e incidental.

O conceito de pessoa pode ser facilmente explicado nos termos da mística islâmica, que considera o homem um mundo em si mesmo, um microcosmo. A originalidade do homem não emana de sua individualidade ou de sua coletividade, mas do fato de que é a ele, e somente a ele, que se dirige o Chamado Divino. Por esta interpelação, a alma do homem transcende seus limites, e, com a transcendência da alma, seu mundo se torna também um mundo de justiça e humanidade.

Qualquer um que examine, mesmo brevemente, os caminhos sinuosos da filosofia de seus primórdios até o presente, notará claramente a contínua oscilação dos filósofos de um extremo ao outro. A guinada mais recente, o último elo nesta cadeia, é a Modernidade. Esta palavra, aparentemente derivada do latim, *modernus*, parece ter sido utilizada pela primeira vez no século XIX, mas a palavra latina propriamente dita está em uso há mais de 15 séculos. Foi somente nos séculos XIX e XX que a palavra "modernidade" foi aplicada a uma ampla gama de conceitos, em campos tão diversos como a filosofia, a arte, a ciência, a história e a ética. O denominador comum a todos esses conceitos é o cataclismo que abalou os alicerces da existência e do pensamento humano no período final da Idade Média, e que lançou o mundo e os homens em uma nova órbita.

O homem e o mundo contemporâneo (na medida em que este é afetado pelas idéias humanas) são o resultado dessa órbita na qual foram lançados no período que se sucedeu à Idade Média. Esta nova órbita foi batizada de "moderna" naquele momento, mas hoje chamamos a este período de Renascimento. A Itália teve um papel decisivo no advento do Renascimento. Embora já tenham sido escritos muitos livros e ensaios para descrever e explicar esse grande marco, existe ainda uma necessidade de que filósofos, historiadores e cientistas reflitam sobre ele.

Reviver a cultura grega clássica não foi a única meta do Renascimento. Seu objetivo principal, como já foi apontado por muitos estudiosos, era revitalizar a religião, dando-lhe linguagem e idéias renovadas. O Renascimento definiu o homem religioso não como alguém que dá as costas ao mundo com desprezo para reprimi-lo, mas como alguém que dele participa. O religioso renascentista se volta para o mundo, e o mundo o espera de braços abertos. Esta recíproca abertura e aproximação entre o mundo e o homem constituem o aspecto mais fundamental da Renascença e é, inerentemente, um evento religioso que quer conservar, renovar e propagar a religião, não se opor ou contrapor a ela.

Mas este grande acontecimento terminou por se dirigir a um ponto diametralmente oposto da intenção original. A abertura para o mundo se transformou em conquista e submissão violenta deste mundo, conquista que não se limitou à dominação da natureza. O incêndio logo se alastrou para as comunidades humanas. Aquilo que veio a ser conhecido como colonialismo, na história sociopolítica da Europa, foi resultado da extensão dessa atitude dominadora exercida pelo homem em relação à natureza e às ciências naturais, também aos homens e às humanidades. Assim, é evidente que não podemos estudar este capítulo da modernidade sem adotar uma abordagem humanitária e ética. A crítica à modernidade que eu proponho é feita a partir de um posto de observação e um ângulo de visão profundamente diferentes dos adotados pelos críticos mais conhecidos, especialmente no domínio da filosofia. Aquele que quer podar uma árvore não deveria cortar o ramo sobre o qual está apoiado. É exatamente dessa maneira que se comportam alguns filósofos de nosso tempo em sua crítica à modernidade. Negando a autoridade da razão e da dialética, eles as convertem em uma arma que destrói a tudo e a todos, inclusive a si mesmos, ou em uma espada de lâmina cega e enferrujada, sem utilidade, destinada a ser uma peça de museu. Não se pode usar a razão como uma ferramenta crítica sem aceitar sua autoridade e sem reconhecer seus limites.

A crítica da razão pura — que abriu um novo capítulo da filosofia ocidental e que pode ser utilizada para a crítica de todos e cada um dos conceitos, incluindo a própria razão pura — só é possível se a razão é dotada de autoridade. Sem a autoridade da razão — que deve ser discutida em um lugar e um momento mais apropriados, sem esquecer de abordar sua relação com a dominação e o poder — será impossível encontrar lugar e conjunção para conceitos políticos tão vitais como direitos humanos, paz, justiça e liberdade. Sem isso, nossos esforços para o estabelecimento desses ideais não terão êxito. Isto, porém, não deve ser interpretado como um chamado à racionalidade e ao "logocentrismo" de estilo europeu que precedeu o pós-modernismo. Pelo fato de a Europa ter dado nascimento à racionalidade moderna, deve sentir maior responsabilidade para criticá-la e encontrar uma solução que previna suas conseqüências destrutivas.

A Europa tornou-se vítima de sua excessiva confiança na racionalidade, e está hoje comprometida, por seus pensadores e filósofos, no descrédito da própria racionalidade. O Oriente, cujo próprio nome deu, etimologicamente, origem a várias palavras referentes à ordem e ao sentido de direção, pode, no curso de um diálogo histórico com o Ocidente, nortear a busca da mútua compreensão, exortando a

Europa e os Estados Unidos da América a exercer mais equilíbrio, serenidade e respeito em sua conduta, contribuindo assim para o estabelecimento da paz, segurança e justiça no mundo. Vale lembrar que equilíbrio e serenidade, no sentido oriental destas palavras, vão muito além dos aspectos dionisíaco e apolíneo da cultura ocidental. O Iluminismo pertence à era apolínea, enquanto o Romantismo foi o movimento pendular na direção oposta. O próximo século deverá ser marcado pelo retorno aos princípios de espiritualidade que o homem oriental tem seguido há milhares de anos.

A exuberância e vitalidade da cultura européia devem-se a sua abordagem crítica em relação a tudo, inclusive a si mesma. É chegado o tempo de a Europa dar outro passo adiante e ver a si mesma com olhos diferentes, isto é, como é vista pelos outros, o que não significa esquecer sua grande herança cultural, nem retroceder a um novo tipo obscurantismo. Ao contrário, seria um estímulo para que a cultura e civilização européias se abram a novas experiências e adquiram um conhecimento mais preciso da geografia cultural global. No "orientalismo", o Oriente é tratado como objeto de estudo, não como um interlocutor, um "outro" disposto ao diálogo.[59] Para que tenha lugar um verdadeiro "diálogo entre civilizações", é indispensável que o Oriente seja um participante real das discussões, não um mero objeto de estudo. Este é um passo muito importante que a Europa e a América do Norte devem dar para a realização de um verdadeiro diálogo entre civilizações. Este não pode ser um projeto unilateral. Nós também, como

---

59. Como disciplina que representa o conhecimento institucionalizado que o Ocidente tem do Oriente, o orientalismo, assim, chega a exercer uma força que se estende em três direções: no sentido do Oriente, do orientalismo e do "consumo" ocidental. O trabalho do orientalista consiste sempre em converter o Oriente em algo diferente do que realmente é, em outra coisa: o que faz em seu benefício, no de sua cultura e, em alguns casos, pelo que crê seja o bem do oriental (E. W. Said, *Orientalismo: o oriente como invenção do ocidente*, São Paulo: Companhia das Letras, 1990).

iranianos, muçulmanos, asiáticos, devemos dar grandes passos rumo a um verdadeiro conhecimento do Ocidente, como ele realmente é. Este conhecimento nos ajudará a melhorar nosso modo de vida, econômico e social. Dar esses passos, humildes e ousados, tanto para nós como para os ocidentais, requer um caráter semelhante àquele promovido e realizado na Europa primeiramente pelos italianos.

Historiadores renascentistas já haviam reconhecido que, graças aos contínuos contatos com Bizâncio e o Mundo Muçulmano, os italianos desenvolveram um sentido de tolerância. De fato, os italianos se haviam familiarizado, e se admirado, com a civilização islâmica desde as Cruzadas. O conhecimento e a familiaridade com uma cultura estrangeira, e o subseqüente reconhecimento e admiração por ela, foram os fatores mais importantes para que florescesse o respeito e a tolerância dos italianos em relação a outros povos e culturas. É paradoxal e mesmo irônico que este conceito de tolerância, adotado pelos europeus graças ao contato com os muçulmanos, nos seja agora oferecido pelo Ocidente como modelo de ética e política a ser seguido. São muitas as evidências da influência muçulmana na criação deste espírito de tolerância entre os europeus, que pode ser comprovada na história literária da Europa. Uma peça muito conhecida intitulada *Nathan, o Sábio*,[60] do dramaturgo alemão Gotthold Lessing, que foi claramente baseada em uma obra italiana chamada *Cem contos antigos*,[61] é um bom exemplo. Mas a

---

60. Gotthold Ephraim Lessing (1729-1781) escreveu o drama em verso livre *Nathan, o Sábio* (1779) com o qual tentou despertar a tolerância religiosa dos alemães para com os judeus. Para seu *Nathan*, Lessing se inspirou na personalidade de seu amigo, o rabino e filósofo Moisés Mendelssohn (1729-1786), fundador do movimento iluminista judeu conhecido como "Ilustração" (*Haskalá*).

61. Também conhecida como *Novellino*, obra de compilador desconhecido, provavelmente florentino, dos últimos anos do século XIII, que reúne um grupo peculiar de contos provenientes da corte de Frederico II, da Si-

influência do pensamento e da cultura muçulmanas na cultura italiana e européia não se limita à questão da tolerância. Nenhuma nação tem o direito de confiscar as contribuições de outras a sua própria civilização, ou negar sua presença na história da cultura humana. Além da filosofia, teologia e arte muçulmanas, a influência da literatura islâmica, em toda sua diversidade e riqueza, sempre foi uma fonte de renovação e purificação para a cultura européia. Podemos citar, por exemplo, a influência de Ibn 'Arabî em Dante, sobre a qual, afortunadamente, muito mais já foi dito e escrito por erudi-

---

cília (1194-1250), o imperador alemão que, da mesma forma que os reis antecessores da ilha, manteve uma interação dinâmica com a civilização islâmica (H. Cagni e outros, *Federico II Hohenstaufen y su tiempo*, Buenos Aires: Fundación de los Cedros/Grupo de Investigación Ixbilia, Editorial Struhart, 1995). Junto a Frederico II encontramos, no *Novellino*, Salahuddín al-Ayubi, mais conhecido como Saladino, o sultão da terceira cruzada, "senhor muito nobre, valente e liberal". Por seu intermédio, o Islam cumpre um grande papel ao lado da religião cristã; dá também à sua época uma lição de piedade aos cavaleiros cristãos. Muitas histórias dão exemplo de respeito e tolerância religiosa. Uma delas conta que Saladino convocou um rico judeu com intenção de confiscar-lhe parte da fortuna e destiná-la à resistência contra os cruzados. O soberano quis pôr à prova o comerciante e lhe perguntou qual era a melhor fé; se o judeu respondesse, a judia, estaria menosprezando a fé do sultão; se dissesse a muçulmana, seria apostasia; tanto em um como em outro caso, haveria pretexto para o confisco. O judeu, então, contou ao sultão a seguinte história: "Excelência, era uma vez um pai que tinha três filhos e um único anel adornado por uma pedra preciosa, incomparável em sua perfeição. No entanto, os três filhos reivindicavam o anel como herança. O pai chamou um mestre ourives e lhe disse: "Faz dois anéis iguais a este e coloca em cada um uma pedra semelhante e esta". O ourives fez os dois anéis de tal forma idênticos que ninguém, além do pai, poderia distinguir o verdadeiro. Então. ele chamou seus filhos e a cada um deu um anel em segredo, de modo que cada um acreditou receber o anel verdadeiro, que apenas o pai saberia diferenciar. Esta é a história das três religiões, excelência. O Pai, que as deu, sabe qual é a melhor, e cada um de nós, seus filhos, cremos ter a melhor". O sultão ficou maravilhado e deixou o judeu partir sem nada lhe pedir (*Novellino*, 112, Turim: Edizione Gualteruzzi, Collezione di Classici Italiani, 1930).

tos europeus[62]. Falar do passado histórico sem fazer alguma referência ao futuro pode ser um exercício acadêmico ocioso, porquanto é indispensável para nós, se queremos ajudar as comunidades humanas a melhorar o estado do mundo

Para tanto, é preciso avaliar como estão hoje as relações da Europa com os países asiáticos, especialmente os muçulmanos. Por quê? Porque somos vizinhos próximos, e as nações, ao contrário dos indivíduos, não podem escolher seus vizinhos. Assim, além das razões morais, culturais e humanitárias, o Islam e a Europa devem, por força das circunstâncias históricas e geográficas, conhecer-se melhor, para melhorar suas relações políticas, econômicas e culturais. Nossos futuros são inseparáveis porque nossos passados também o foram. Hoje, em nossas escolas de filosofia, estudamos Platão, Aristóteles e Plotino, e Descartes, Hegel e Wittgenstein, entre os modernos, junto com al-Kindi,[63] al-Farabi, al Suhrawardi[64] e

---

62. Basta citar a obra monumental do arabista e islamólogo espanhol, padre Miguel Asín Palácios (1871-1944), *La escatologia musulmana em la Divina Comedia*, seguida de *Historia y critica de uma polémica*, Madri: Hiperión, 1984, originalmente publicada em 1919, e outros trabalhos como os de G. L. Della Vida, *Nuova luce sulle fonti islamiche de la Divina Commedia*, Al-Andalus, 14 (1949); M. Rodinson, *Dante et l'Islam d'après dês travaux récents*, em *Revue de l'histoire dês Religions*, outubro-dezembro 1951; E. Cerulli, *Dante e l'Islam*, Academia Nazionale dei Lincei, 12 (1957). Cf. R. H. Shamsuddín Elfa, *Dante y el Islam. El pensamiento musulmán en la Europa del siglo XIV*, Buenos Aires: Ediciones Mezquita At-Tauhid, 1998.

63. Abu Yusuf Yacub Ibn Ishaq al-Kindi (796-873), filósofo nascido em Kufa, educado em Basra e residente a maior parte da sua vida em Bagdá. Em um de seus escritos diz: "Não devemos ter vergonha de reconhecer a verdade, seja qual for sua fonte, mesmo se chega a nós proveniente de gerações passadas e de lugares estrangeiros. Para quem busca a verdade nada é mais valioso que a própria verdade" (*Da filosofia primeira – Fi-l-falsafa al-ula*).

64. Sihabuddín Yahia al-Suhrawardi, nascido em Suhraward, Irã, em 1154, assassinado em Alepo, Síria, em 1191. Místico iraniano, conhecido como "o mestre da luminosidade" (*as-Sheikh al-Ishraq*). Seu principal trabalho é o *Livro da sabedoria luminosa* (*Kitab al-hikma al-Ishraq*). Cf. S. H. Nasr, *Three muslim sages: Avicena, Al-Suhrawardi, Ibn Arabi*, Nova York: Caravan Books, 1964.

Mulá Sadrá.[65] Ainda que as grandes civilizações da Ásia vejam a si mesmas, hoje, pelo reflexo do espelho ocidental, e se conheçam entre si por intermédio do Ocidente, foi o Islam clássico que serviu – em um passado não tão distante – de espelho para o Ocidente, um espelho no qual o Ocidente pôde contemplar seu próprio passado e sua herança filosófica e cultural.

Se o diálogo não é uma simples escolha, mas uma necessidade para nossas culturas, deve dirigir-se aos verdadeiros representantes da cultura e do pensamento islâmicos. Ademais, que bem pode trazer ao Ocidente falar com uns poucos elementos "ocidentoxicados", que não são mais que uma imagem inferior e deformada de Ocidente? Isto não seria um diálogo; sequer chegaria a ser um monólogo. Um diálogo profundo, reflexivo e preciso com a civilização islâmica seria útil para encontrar soluções justas e práticas para alguns dos graves problemas que afligem o mundo de hoje. A crise da família, a crise da relação entre o homem e a natureza, a crise ética que se desenvolveu na investigação científica e muitos outros problemas desse tipo devem estar entre os temas da agenda de um diálogo islâmico-europeu.

O diálogo é algo tão desejável porque está baseado na liberdade e no livre arbítrio. Em um diálogo, deve haver respeito à identidade, independência e integridade ideológica e cultural de cada um. Só dessa maneira o diálogo pode ser um passo preliminar que conduza à paz, segurança e justiça.

Neste sentido, um diálogo com o Irã apresenta vantagens peculiares, pois é um vizinho que tem uma face voltada à Europa e outra voltada à Ásia. Assim, o Irã é o ponto de encontro das culturas orientais e ocidentais, como o homem é o ponto de encontro entre a alma do Oriente e a razão do Ocidente. O coração e o pensamento persas estão dotados de equilíbrio, afeto e tolerância; por isso, os iranianos são defensores do diálogo e adeptos da justiça e da paz.

---

65. Ver nota 29.

CAPÍTULO 10

O Mundo Islâmico e os desafios modernos*

Prólogo

Pergunto-me se devo começar falando dos sofrimentos e infortúnios existentes ou das alegrias e deleites que virão. Afinal, não é o objetivo fundamental da Conferência Islâmica chegar a soluções comuns para os problemas que afligem os países muçulmanos e alçá-los à estatura e à posição que lhes cabe? Não é nosso elevado propósito superar o presente e remediar os males e sofrimentos? Nenhuma dor ou aflição pode ser curada a menos que, em primeiro lugar, seja devidamente diagnosticada, para então se buscar a melhor solução, com discrição e reflexão, e finalmente agir com firmeza e resolução.

A dificuldade da nossa situação é que a comunidade islâmica (*ummah*), antes um estandarte do conhecimento, do pensamento e da civilização, recaiu nos últimos séculos na fraqueza e no atraso e, pior ainda, fracassou em utilizar de modo adequado os frutos dessa civilização, devido ao conseqüente e doloroso estado de passividade diante da ostentosa civilização dominante da época. Nossa passividade centenária é resultado do declínio de uma outrora brilhante civilização humana, cujas conquistas e remanescências ainda são

* Discurso proferido presidindo a 8ª Sessão da Organização da Conferência Islâmica, Teerã, 9 de dezembro de 1997.

elogiadas, e com a qual a civilização mundial dominante está verdadeiramente em débito.

Hoje, criar uma réplica da antiga civilização não é nem possível, uma vez que seu momento há muito passou, nem mesmo desejável, ainda que fosse possível. Considerando a civilização como o produto das respostas do homem às questões acerca da existência, do mundo e de si próprio, e também como uma representação da soma de seus esforços para satisfazer suas necessidades, constata-se que a constância no homem, além de suas carências e anseios, é sua busca pelo conhecimento. No entanto, a forma e o conteúdo das perguntas e das necessidades variam de acordo com o tempo e o lugar. As civilizações perduram na medida em que são capazes de responder às questões sempre renovadas e às necessidades do homem, em constante transformação; do contrário, estão condenadas ao desaparecimento. Dessa forma, a civilização, como um assunto humano, está sujeita ao ciclo de nascimento, desenvolvimento e morte.[66]

As perguntas e necessidades do homem contemporâneo são, de muitas maneiras, diferentes das de nossos antepassados. Nossa passividade nos últimos séculos ante a civilização ocidental — ela própria, uma resposta natural à busca do homem ocidental — deve-se ao fato de, por vários motivos, termos parado de nos questionar. A falta de questionamento leva à debilidade do pensamento e, por sua vez, à inevitável passividade e sujeição.

---

66. O historiador muçulmano tunisiano Ibn Khaldun (1332-1406), considerado o primeiro sociólogo da história, é também o primeiro pensador a apontar o ciclo de crescimento, apogeu e desintegração dos impérios e civilizações: "Assim, portanto, os impérios, como os indivíduos, têm uma existência, uma vida determinada que lhes é própria: crescem, chegam à idade madura, depois começam a declinar" (Ibn Khaldun, *Prolegômenos ou filosofia social (Al-Maqaddimah)*, São Paulo: Safady, 1958-1960). Cf. N. Nassar: *El pensamiento realista de Ibn Jaldún*, FCE, México, 1979, p. 199-212.

O mais importante, contudo, é perceber que passividade, indolência e atraso não constituem nosso destino. O povo que já criou uma das mais gloriosas civilizações da história ainda carrega o potencial para criar outra, desde que, é claro, se permita a análise e a reflexão, e isso não pode ser alcançado sem a realização de duas ações:

Promover um retorno reflexivo ao ser histórico, que, de um lado, está enraizado na eterna inspiração divina e, de outro, carrega o potencial histórico e cultural único nutrido pelo passado.

Buscar uma compreensão adequada e profunda do tempo atual. Neste aspecto, é imperativo perceber que, entre a civilização islâmica – ou, para ser exato, a civilização dos muçulmanos — e nossa vida atual, interpõe-se o que chamamos "civilização ocidental", civilização cujas conquistas não são poucas e cujas conseqüências negativas, particularmente para os não-ocidentais, são abundantes. Esta é uma era de preponderância da cultura e da civilização ocidentais, e essa compreensão é fundamental. Entretanto, para que esse entendimento seja eficaz e útil, é essencial ir além da superfície e alcançar sua base teórica, bem como os fundamentos de seus valores.

O reconhecimento de nosso passado é igualmente imperativo, não para voltar e permanecer no passado, o que seria pura regressão, mas para redescobrir a essência de nossa identidade e as sutilezas da mentalidade e dos hábitos sedimentados no tempo e no espaço. Assim poderemos empreender uma crítica racional do passado, para encontrar apoio digno e adequado aos dias de hoje, uma plataforma para um futuro ainda mais esplêndido. Sem dúvida, só teremos êxito se possuirmos a retidão e capacidade de utilizar as conquistas científicas, tecnológicas e sociais da civilização ocidental, estágio que teremos de atravessar para alcançar o futuro que almejamos. Embora seja doloroso e amargo encarar a passividade e atraso dos países muçulmanos, a mera e feliz lembrança de que podemos transformar nosso destino por meio da consciência, da resolução e da solidariedade é motivo de júbilo e deleite.

Certamente a geração atual, assim como as futuras, poderá constituir uma nova sociedade islâmica em que todos permaneçamos unidos, ajudando-nos e compreendendo-nos como irmãos. Para que isso seja uma realidade, devemos concentrar nossos pensamentos em construir uma "sociedade civil islâmica" em cada um de nossos próprios países. A sociedade civil que queremos promover e aperfeiçoar, e que recomendamos a outras sociedades islâmicas, é fundamentalmente diferente da "sociedade civil" que tem suas raízes no pensamento filosófico grego e na tradição política romana, a qual, tendo passado pela Idade Média, adquiriu sua orientação e identidade peculiares no mundo moderno. As duas, no entanto, não estão necessariamente em conflito e contradição em todas as suas manifestações e conseqüências. É exatamente por isso que nunca deveríamos nos esquecer das judiciosas aquisições e das conquistas positivas do Ocidente.

Enquanto a sociedade civil ocidental, histórica e teoricamente, deriva da cidade-Estado grega e do posterior sistema político romano, a sociedade civil que temos em mente tem sua origem, de um ponto de vista histórico e teórico, na *Madinat ul-Nabi* [literalmente, "cidade do Profeta", conhecida atualmente como Medina]. A transformação de *Yathrib* [seu antigo nome] para *Madinat ul-Nabi* não foi apenas uma mudança de nome, como tampouco a mudança dos "Dias de ignorância" [*Ayyam ul-jahiliah*] para os 'Dias de Deus' [*Ayyam-Ullah*] representa apenas uma alteração de designação. Medina [*Madinah*] não é apenas solo e território, assim como "Dias de Deus" não significa um intervalo de tempo.

Com *Madinat ul-Nabi* e *Ayyam-Ullah*, surgem nos primeiros tempos do Islam uma geografia e uma história moral que anunciaram o princípio de uma nova perspectiva, caráter e cultura. Essa cultura, com sua visão única e distinta da existência e do homem e suas origens, viveu por séculos nas profundezas da alma e da memória coletiva dos muçulmanos. Agora, mais que nunca, os muçulmanos precisam estabelecer-se definitivamente em seu lar comum (*Dar al-Islam*). Apesar do fato de as diferenças étnicas, geográficas e sociais entre os muçulmanos terem, ao longo do tempo, resultado em diferentes semblantes e sabores, a *Madinat ul-Nabi* permanece nossa eterna casa moral, e *Yaum-Ullah* ["Dia de Deus"] continua como o tempo presente, fluindo através de todos os momentos de nossa vida, ou ao menos assim deveria ser. *Madinah* surgiu por meio da Hégira (o êxodo) da terra do politeísmo e da opressão,[67] assim como *Yaum-Ullah* teve início como o resultado da ruptura com a era das "trevas ou ignorância" [*jahiliah*] e a entrada na era da presença do sagrado reino de Deus.

Estabelecer-se na "casa islâmica comum" não significa regressão, rejeição de conquistas científicas, isolar-se do mundo moderno ou buscar conflitos com culturas diferentes. Ao contrário, só depois desse retorno à identidade comum é que poderemos viver em paz e harmonia com outros povos e nações. Viver em paz e segurança é algo que só se pode realizar quando se compreende completamente não apenas a cultura e o pensamento, mas também os interesses, assim como as maneiras e costumes dos outros. Um entendimento sutil das dimensões culturais e morais de outras sociedades e nações assegura o estabelecimento de um diálogo. Um discurso genuinamente significativo só pode ocorrer quando as partes envolvidas se reconhecem em suas próprias e legítimas posições; caso contrário, o diálogo entre um imitador alienado e outros não tem sentido, e certamente carece de qualquer bem ou benefício. Buscar estabelecer-se no lar islâmico

67. Momento em que o Profeta Muhammad, junto com os primeiros muçulmanos de Meca decidiram emigrar para Medina, cidade que acolheu bem a religião islâmica, fugindo da perseguição da maioria politeísta de então. A Hégira, em 622 D. C., marca o início da era islâmica.

comum [*Dar al-Islam*] — *Madinat ul-Nabi* — implica que os muçulmanos assumam suas verdadeiras posições, ou seja, sua verdadeira identidade islâmica.

Na sociedade civil que defendemos, que assume como eixo o pensamento e a cultura islâmica, não há lugar para ditaduras pessoais ou de grupos ou mesmo a tirania da maioria e a eliminação da minoria. Em tal sociedade, o homem, devido a seus atributos inerentes, é venerado e reverenciado, e seus direitos são respeitados. Os cidadãos de uma sociedade civil islâmica gozam do direito de determinar o próprio destino, fiscalizar o governo e apoiar um governo responsável. O governo em tal sociedade é um servidor do povo, e não seu senhor, e em cada evento tem de prestar contas ao povo, ao qual Deus deu o direito de determinar o próprio destino. Nossa sociedade civil não é uma sociedade em que somente muçulmanos têm direitos e cidadania. Defender esses princípios é tarefa fundamental dos cidadãos e de seu governo; todos os indivíduos têm direitos, dentro do marco da lei e da ordem.

Respeitar os direitos humanos e acatar suas normas e padrões não é uma postura adotada para ter utilidade política ou estar em conformidade com os demais. É uma conseqüência natural de nossos ensinamentos e preceitos religiosos. O Imame Ali Amir Al-Mu'minim[68] recomendou que seu representante observasse os princípios da justiça e da eqüidade como algo que diz respeito a todo o povo, e não apenas aos muçulmanos, porque "há dois grupos; um deles é de teus irmãos de fé, e o outro de teus semelhantes na criação".

Nossa sociedade civil não busca submeter outros nem submeter-se à dominação; reconhece o direito de outras

---

68. Ali Ibn Talib (600-661) sobrinho do Profeta Muhammad (571-632) e seu genro, ao casar-se com sua filha Fátima Az-Zahra (c.605-632). De acordo com a escola xiita, o Profeta o teria designado seu sucessor e, depois dele, a seus filhos com Fátima, Al-Hassan (624-670) e Al-Hussain (626-680).

nações à autodeterminação e ao acesso aos meios necessários para uma vida digna. Determinada a não se render à força ou à coerção, no esforço por manter-se sobre os próprios pés, nossa sociedade civil, como instrui o *Sagrado Corão*, considera que tem o direito e a autoridade de adquirir todos os meios necessários para o progresso material e técnico. A rejeição da dominação e da subserviência sem dúvida significa a rejeição da força e da ambigüidade nas relações entre nações, e sua substituição pela lógica e pelos princípios de respeito mútuo nas relações internacionais.

Defendemos uma sociedade baseada em nossa identidade coletiva, cujo êxito requer esforços contínuos e incessantes de todos, especialmente de intelectuais e pensadores. Não é um tesouro que possa ser desenterrado da noite para o dia; antes, é uma fonte de vida e moralidade de cuja efusão constante nós nos beneficiaremos. Portanto, o desfrute deste tesouro é gradual e depende do conhecimento escrupuloso e do reexame da nossa herança, bem como das nossas tradições intelectual e doutrinária, de um lado, e da sofisticação científica e da compreensão filosófica do mundo moderno, de outro. Portanto, os pensadores, eruditos e pesquisadores são o pivô desse movimento e nele desempenham papel central. Nosso sucesso ao longo deste caminho depende de políticas a serviço do pensamento e da virtude, e não de atitudes que impliquem seu confinamento a marcos restritivos.

O que acabo de declarar não é um exercício de imaginação, mas uma perspectiva panorâmica de uma situação futura, de execução possível. O empenho para sua realização é um dever urgente de todos nós.

Cremos que o movimento ao longo dessa clara trilha começou no Irã graças à vitória da Revolução Islâmica. O povo do Irã está seguindo seu caminho com confiança e perseverança diante das dificuldades; lutando, de um lado, contra posturas e hábitos internos restritivos e regressivos e, de outro, contra as pressões e conspirações externas. Ao longo dessa trilha, estendemos as mãos em fraternidade e cooperação às outras nações e Estados muçulmanos, e também a todas as nações e Estados comprometidos com os princípios do respeito mútuo.

Para recuperar honra e dignidade islâmicas, designadas a nós por Deus, e adquirir as capacidades requeridas para reivindicar nosso lugar de direito no mundo atual e na criação de uma nova civilização, ou pelo menos participar ativamente na gênese da civilização que inevitavelmente substituirá a que hoje existe, nós, muçulmanos, devemos confiar em dois fatores importantes: um, sabedoria e razão; e outro, coesão e solidariedade. Para compreendermos essas duas maravilhas prodigiosas, o que poderia haver de melhor que recorrer ao *Sagrado Corão* — a herança eterna do Glorioso Profeta do Islam? Qual Livro Divino ou Mensagem enfatizou mais que o *Sagrado Corão* o raciocínio, a meditação, a reflexão, a contemplação e a deliberação sobre a existência e sobre o mundo, e a necessidade de aprender a partir do destino de povos e comunidades do passado? Além disso, contra todas as diferenças raciais, étnicas, lingüísticas e mesmo religiosas, o *Sagrado Corão* é a âncora mais fidedigna dos laços e da unidade entre todos os muçulmanos, desde que, é claro, nós o apreciemos e nele confiemos, iluminando com sua sabedoria nossa vida atual, assim como os horizontes futuros, sem rigidez nem inércia, mas também sem nenhum sentimento de inferioridade em relação aos demais.

Nesta conjuntura e por ocasião desta venerável assembléia, apresento resumidamente, com profundo sentimento fraterno, as prioridades com que os países muçulmanos precisam lidar e para as quais devem encontrar soluções.

Rumo a uma nova e justa ordem mundial

A despeito dos esforços dos políticos norte-americanos para impor sua vontade sobre todas as nações, como pólo único de poder em torno do qual os interesses do mundo devem gravitar, as relações internacionais estão em processo de transição do sistema bipolar anterior para um novo estágio na história. De acordo com a nossa visão, uma nova ordem baseada no pluralismo está ganhando forma no mundo, que, se Deus quiser, não será monopólio de uma única potência. É imperativo, para nós, nações muçulmanas, que, enquanto resistimos corajosamente a todos os tipos de expansionismo, nos esforcemos por garantir nossa própria posição e estatura, contribuindo para a formação de uma nova ordem política mundial e de novas relações internacionais. Isso requer compreensão, planejamento e esforço comum.

É urgente que os países muçulmanos empreendam uma avaliação meticulosa e objetiva de suas próprias condições e capacidades e das conjunturas externas, e, a partir disso, ajam no sentido de adotar políticas apropriadas para chegar à solidariedade política e à consolidação de todos os seus recursos internos, empenhando-se, assim, em assegurar uma efetiva participação na tomada de decisões internacionais. Inicialmente, confiando nos princípios, na herança comum e nos interesses, assim como no entendimento e na negociação, devemos esforçar-nos para aproximar nossos pontos de vista em todas as áreas e então criar uma cadeia de possibilidades complementares bem articuladas, por meio da utilização adequada das capacidades.

Segurança e paz na região e no mundo

Paralelamente aos esforços conjuntos para cumprir a missão histórica do mundo islâmico de contribuir para a formação de uma nova ordem mundial humanitária, é uma necessidade inegável a cooperação de todos países muçulmanos na promoção e preservação da paz mundial. Entretanto, promover uma paz humana, segura e duradoura no mundo implica necessariamente a erradicação do paradigma da guerra fria, que se baseava na necessidade da existência — para a opinião pública — de um inimigo externo, real ou imaginário. É lamentável, contudo, que certas tendências expansionistas no mundo estejam tentando fazer do Islam um inimigo imaginário. Portanto, é nossa tarefa nos esforçarmos, por meio de uma participação eficaz e contínua na promoção da paz e da segurança regional e global, para fortalecer a confiança, reduzir preocupações e, mais que tudo, tornar ineficazes as distorcidas insinuações dos inimigos do Islam. Devemos estar vigilantes, porém, sobre o maior perigo à nossa segurança: as crescentes ameaças contra a própria existência política, cultural e econômica dos muçulmanos, particularmente pela extensão dessas ameaças e por sua orientação contra a identidade histórica e doutrinária da *Ummah*, manifestada na forma de um amplo e furioso ataque cultural, que nos colocou numa posição bastante sensível e crítica. Nenhuma diferença, qualquer que seja, deverá colocar-se no caminho de nossa solidariedade na resistência a esse perigo e ameaça fundamentais.

No mundo interdependente de hoje, em que a segurança de diferentes regiões é indivisível, considera-se como responsabilidade universal a promoção da confiança mútua e do estabelecimento da paz. O cultivo da confiança é a primeira e mais apropriada abordagem estratégica para garantir a segurança. A criação dos espaços necessários para o estabelecimento da confiança mútua e o alívio ou redução das preocupações com a segurança deve ser colocada no topo das relações bilaterais entre países muçulmanos e ter maior prioridade na agenda da Organização da Conferência Islâmica.

As relações entre o mundo islâmico e as outras nações estão também cheias de desconfiança, mal-entendidos e percepções equivocadas, parte delas arraigada na história e parte emanada de relações hegemônicas, conseqüência da propagação de desavenças crônicas do hegemonismo. Nessa conexão, por meio da provisão de espaços para o diálogo entre civilizações e culturas — com as pessoas de intelecto cumprindo uma função essencial —, devemos abrir caminho a um entendimento fundamental, que repousa sobre a fundação da paz genuína, baseada na garantia dos diretos de todas as nações, e que, dessa forma, neutralize a influência da propaganda negativa na opinião pública.

O mundo precisa de paz; mas é óbvio que, para que seja duradoura, ela deve ser justa e digna. A história mostra que nenhuma paz é possível sem justiça e respeito pelas aspirações dos povos envolvidos. Como a crise no Oriente Médio deixou totalmente claro, a paz genuína só pode ser estabelecida por meio da realização de todos os anseios legítimos do povo palestino, incluindo o inalienável direito à autodeterminação, o retorno dos refugiados e a liberação dos territórios ocupados, em particular de Jerusalém (*al-Quds al-Sharif*). É fato, contudo, que a natureza hegemônica, racista, agressiva e violenta do regime sionista, amplamente manifestada na sistemática e flagrante violação da lei internacional, na prática do terrorismo de Estado e no desenvolvimento de armas nucleares, ameaça seriamente a paz e a segurança na região.

Na sensível e estratégica região do Golfo Pérsico, os Estados regionais devem empreender por si próprios a preservação da segurança e da paz. Em nossa opinião, a presença de forças estrangeiras nessa área não só serve como fonte de tensão e insegurança mas também provoca trágicas conseqüências ambientais.

O que está acontecendo na querida terra do Afeganistão é de fato uma tragédia humana de grandes proporções, bem como um terreno fértil para a intervenção estrangeira e a ruptura da segurança e da estabilidade em toda a região.[69] Os paí-

69. O texto é de 1997 e já antevia a invasão do Afeganistão (N.E.).

ses muçulmanos e a Organização da Conferência Islâmica devem insistir para que não haja solução militar para o problema afegão. A dolorosa situação desse país deve ser resolvida, inicialmente, por negociação entre as partes envolvidas e, finalmente, pelo próprio povo afegão. Esperamos que a Conferência Islâmica ajude a conduzir esse país à paz e à tranqüilidade, convidando todos a se comprometer com a negociação.

A situação no Iraque, particularmente no norte do país, é também motivo de preocupação. Embora convidemos o Iraque a cooperar adequadamente com as Nações Unidas, acreditamos que a intervenção estrangeira, particularmente no conflito armado na área setentrional, que deslocou centenas de milhares de civis, criou as bases para a ampla insegurança na região. Damos grande importância à integridade territorial do Iraque e declaramos nossa prontidão para tomar todas as medidas humanitárias necessárias nesse importante país da região.[70]

A perigosa disposição para a infiltração e a ingerência estrangeiras, particularmente por parte de Israel, em várias áreas de nossa região são sério motivo de preocupação e reforçam a necessidade de vigilância da parte de todos. Damos as boas-vindas à presença ativa e responsável dos Estados da Ásia Central e do Cáucaso no processo de independência e desenvolvimento em prol da honra e da dignidade do mundo islâmico. E enquanto damos as boas-vindas à iniciativa de paz na amistosa e fraternal nação do Tajiquistão, expressamos nossa gratidão ao presidente Rahmonov e ao sr. Abdullah Nuri, o presidente da Comissão de Reconciliação Nacional, por sua cooperação para o estabelecimento da paz; e pela consolidação da paz no Tajiquistão, a República Islâmica do Irã conclama a Organização da Conferência Islâmica a fazer o máximo esforço no sentido de prevenir a proliferação de diferenças étnicas e assim fortalecer o processo de paz no país.

---

70. E a previsão de Khatami se cumpriu seis anos depois (N.E.).

Alguns países islâmicos estão atualmente enfrentando ameaças externas e conspirações, e também sobrecarregados de dificuldades oriundas de diferenças internas. A Conferência Islâmica, em geral, e os países islâmicos, em particular, devem declarar seu apoio à independência e aos interesses desses países, bem como seu respeito aos desejos e aspirações das nações muçulmanas. Além disso, a Conferência Islâmica deve atuar e mover-se de tal forma que os muçulmanos em todos os lugares do mundo, incluindo as minorias muçulmanas em países não-muçulmanos, encontrem na organização uma fonte de confiança e apoio seguro.

Em todo caso, devemos nos manter vigilantes em relação a fontes visíveis e invisíveis que ameaçam nossa segurança. Acreditamos que os países islâmicos alcançaram a requerida fase de maturidade para empreender, entender e executar acordos coletivos e tratados, para conservar a própria segurança, assim como a da região na qual vivemos. Nessa conexão particular, a República Islâmica do Irã, enquanto enfatiza a cooperação entre os Estados da região do Golfo Pérsico para a preservação da paz e da estabilidade regionais, considera a concretização de arranjos coletivos de autodefesa no Golfo Pérsico um passo seguro para o estabelecimento de uma segurança duradoura e da defesa dos interesses comuns a todos os países e nações envolvidos.

O desenvolvimento completo, equilibrado e sustentável dos países islâmicos

O desenvolvimento constitui outra base propícia para a preservação da segurança, estabilidade e independência das sociedades islâmicas, assim como para a preservação da honra e da dignidade das nações muçulmanas. Em nossa opinião, o desenvolvimento adequado e desejado deve ser completo, equilibrado e sustentável; deve assegurar a participação de todos os indivíduos, grupos e segmentos da sociedade, incluindo as mulheres e os jovens. Num desenvolvimento assim definido, o ser humano é o fator central, e o desfrute das bênçãos materiais e espirituais da vida constitui seu objetivo fundamental.

Para alcançar tal desenvolvimento, devemos, em primeiro lugar, definir e planejar padrões próprios e compatíveis com as particularidades de nossas respectivas sociedades e do mundo islâmico. Devemos também reconhecer que nenhum país obtém êxito na superação das barreiras ao desenvolvimento por conta própria. É imperioso, portanto, que os países islâmicos empreendam uma avaliação ampla, precisa e científica de suas capacidades, e ajudem a criar — por meio da utilização das respectivas vantagens comparativas — uma corrente de desenvolvimento complementar por todo o mundo islâmico. Devemos explorar apropriadamente os recursos a nós concedidos por Deus, gerenciando-os de modo eficiente, confiando não apenas no conhecimento, na tecnologia e no potencial humano, mas também na mútua cooperação e no intercâmbio nos campos científico, técnico e econômico. Com a implementação desses passos e medidas, o mundo islâmico, sem dúvida, se tornará um importante pólo de poder, progresso e autoridade no mundo atual, e mais ainda no futuro.

Os vínculos religiosos, as afinidades espirituais e a herança cultural comum entre as nações muçulmanas, uma vez complementados com as relações e o intercâmbio científico, econômico, político, técnico e cultural, certamente proporcionarão os requisitos materiais, os fundamentos e os pilares morais para a constituição de uma sociedade progressista, avançada e pacífica, que trará o desenvolvimento e a segurança coletivos.

Reavaliação do papel da Organização da Conferência Islâmica

A Organização da Conferência Islâmica, como a única organização multilateral universal no mundo islâmico, desempenha importante papel no cumprimento do que foi mencionado anteriormente e, em geral, na realização dos objetivos fundamentais de "participação, diálogo, segurança e desenvolvimento". À luz da importância cada vez maior da religião em geral e do Islam em particular, em décadas recentes, na explicação e na constituição dos relacionamentos humanos, os muçulmanos em todo o mundo, justificadamente, vêem a Organização da Conferência Islâmica como um refúgio e uma fonte que vai ao encontro das suas necessidades e aspirações supranacionais islâmicas e humanas.

Com trinta anos de existência, a Organização da Conferência Islâmica desfruta dos recursos potenciais exigidos para ter uma presença mais eficaz em nível internacional. Logo, é natural que agora formulemos novas maneiras e mecanismos para fortalecer sua estrutura organizacional, bem como para tornar mais eficientes suas decisões, assegurando a sua implementação.

Nas atuais circunstâncias, é missão da Organização da Conferência Islâmica assumir uma presença internacional mais ativa e inovadora, particularmente na resolução dos conflitos correntes entre Estados-membros ou em crises impostas a eles a partir de fora. A iniciativa da organização de defender os direitos do povo da Bósnia surge como um bom começo para uma mudança relevante no tratamento dado pela Organização às dificuldades e crises internacionais. A preservação e a continuidade desse apoio, sensível e ativo, aos direitos e interesses das sociedades muçulmanas e das comunidades e minorias muçulmanas em países não-membros, juntamente com o engajamento construtivo em busca de solução para casos crônicos como o da Caxemira, são indispensáveis para a institucionalização de um papel mais concreto da Organização.

Todos nós devemos ajudar a Organização da Conferência Islâmica a se empenhar, de forma mais enérgica e inequívoca, na busca de uma resolução sincera e compassiva das diferenças dentro do mundo islâmico. Também devemos apoiar a organização, tanto financeira quanto politicamente, aliviando seus encargos. Ao mesmo tempo, uma maior atenção aos problemas fundamentais e urgentes do mundo islâmico, além do aperfeiçoamento do conteúdo de suas decisões e de uma maior consolidação de seus planos e atividades, certamente tornará a Organização mais vigorosa e dinâmica.

E finalmente, concluindo, gostaria de expressar mais uma vez a minha gratidão aos nossos estimados convidados e desejar-lhes todo o sucesso nesta solene reunião e maiores conquistas para a Organização da Conferência Islâmica.

Que as nossas últimas palavras sejam: "Louvado seja Deus, Alento e Amparo dos Mundos. Louvado seja Deus, Senhor da Criação". Seja esta a última de nossas preces.

CAPÍTULO 11

O Diálogo entre civilizações e o novo milênio*

É um grande prazer falar aqui na Unesco sobre um importante evento cultural e político do nosso tempo. Este evento está destinado a exercer uma grande influência na vida das futuras gerações, expurgando-a das más influências e provendo-a de moralidade, espiritualidade e beleza. Reconheço plenamente que um otimismo excessivo sobre os resultados imediatos do diálogo proposto entre as culturas e civilizações possa ser inibidor e até desencorajador, do mesmo modo que um exagerado pessimismo, por causa da atual situação mundial e dos obstáculos que a proposta enfrentará. Obviamente, precisamos estar conscientes de que a jornada que temos pela frente será longa, árdua e acidentada, e que a materialização desta proposta produzirá um efeito marcante e permanente nos eventos políticos para a vida futura do homem. O fato desta proposta ter sido unanimemente aceita pelos círculos internacionais, especificamente na 53ª Assembléia Geral das Nações Unidas, além de estar sendo aclamada por intelectuais e pelo público em geral, é, em si mesmo, de grande importância.

---

* Discurso proferido na Assembléia Anual da Organização das Nações Unidas para a Educação, Ciência e Cultura (Unesco), Paris, 29 de outubro de 1999.

Certamente, sabemos que os povos do mundo não estão preparados para atender chamados, sejam eles quais forem. Muitas instâncias podem ser enumeradas para esclarecer este ponto. Quando, no passado, os povos de algumas regiões do mundo foram chamados por pessoas benevolentes, pensadores ou alguns revolucionários, a renovar suas associações e a ajudar a estabelecer uma nova sociedade, com base nos mais arraigados ideais humanos, não houve concordância. Contudo, houve uma conjuntura particular na qual os povos responderam positivamente: o chamado ao "diálogo entre as civilizações".

Não há dúvida de que o esclarecimento das razões para esse evento, consideradas as doutrinas sociais e políticas vigentes ou as visões filosóficas atuais, é impraticável. Baseado nesse conceito e na esperança de encontrar uma resposta à pergunta de por que a proposta para o "Diálogo entre Civilizações", apresentada pela primeira vez pela República Islâmica do Irã, na 53ª Assembléia Geral, foi tão bem recebida, sentimo-nos compelidos a focalizar alguns fatores implícitos preponderantes na comunicação humana, além de considerações políticas e problemas de interesse nacional. O conceito de "diálogo entre civilizações" pode ser interpretado de diferentes modos e em vários níveis.

Aprofundarmo-nos no significado do termo "diálogo" pode ser um bom ponto de partida. Isso naturalmente nos levará aos domínios da filosofia e da história, o que exigirá que separemos a semântica e os aspectos filosóficos do diálogo. Além disso, teríamos de considerar as opiniões das maiores autoridades sobre o assunto. Este, naturalmente, não é o lugar nem a hora para uma exposição desse tipo; ainda assim, faz-se necessário mencionar brevemente alguns pontos relacionados ao termo.

Partindo do pressuposto de que os significados filosóficos e teóricos de "diálogo" estão claros, sugerimos que o termo seja aplicado tanto denotativa como conotativamente. Quando convocamos o mundo ao diálogo, ambos os sentidos são aplicáveis: assim, encontros realizados para discutir diferentes questões e pontos de vista são instâncias de verdadeiro diálogo; enquanto todos os empenhos culturais, artísticos, científicos e literários podem ser considerados exemplos de um modo conotativo de diálogo. Essa divisão não é meramente literária ou retórica, pois, ao investigar o sentido denotativo de diálogo, somos obrigados a abordar certos âmbitos nos quais o modo conotativo se torna inaplicável.

A expressão "diálogo entre culturas e civilizações" incorpora certas características que podem parecer conflitantes e até contraditórias. O diálogo é, por um lado, tão antigo quanto a cultura humana e a civilização, mas, por outro, é algo totalmente novo. A solução para essa dicotomia não deveria ser difícil, se considerarmos a expressão, textualmente, como uma declaração fática e factível que se enquadre na definição de diálogo que se manteve através dos tempos. Além disso, considerar a declaração fática de diálogo entre civilizações como uma abordagem exigirá que as definições de "cultura", "civilização" e "homem" sejam enquadradas de tal maneira que não colidam com a verdadeira essência do diálogo.

Isso significaria dar especial atenção ao aspecto coletivo da existência do homem, enfatizando a vasta e infinita variedade da civilização humana e, especialmente, salientando o fato de que nenhuma grande cultura ou civilização ter evoluído no isolamento. Em outras palavras, só sobreviveram aqueles segmentos de culturas e civilizações dotados do "poder de comunicação" que envolve o "falar" e o "escutar". Portanto, o diálogo entre culturas e civilizações traz consigo o falar e o escutar. Escutar é uma virtude que se deve cultivar, e não se encontra facilmente em qualquer pessoa. Para adquiri-la, é preciso dispor-se a um treinamento rigoroso a fim de enriquecer a própria capacidade moral e intelectual. Escutar não é uma atividade passiva, é um engajamento ativo no qual o ouvinte está exposto ao mundo criado, descoberto ou vivenciado pelo orador. Sem a escuta ativa, o diálogo inteiro está condenado ao fracasso.

Para entender o significado da expressão "diálogo entre civilizações" de maneira prescritiva, não há outra escolha senão prestar muita atenção a vários pontos, um dos quais é a relação entre o político e o artístico, e outro, a relação entre ética e política, ou seja, a relação que envolve ética, política e estética. Que tipo de relacionamento existe entre um grande estadista e um artista talentoso? A diferença entre ambos parece óbvia porque eles lidam com campos diferentes do esforço humano. Mas que atração os une, e em que aspectos eles podem ser comparados? Se nos ativermos ao simples aforismo que define a política como a prática de certos tipos de sutileza diplomática nas relações políticas, ou seja, como uma arte em si mesma, conseguiremos então discernir uma relação mais profunda entre o político e o artista. Embora encontremos muitas definições na filosofia da arte para esse conceito, e podemos escolher qualquer uma delas, não devemos ignorar o fato de que o artista é uma pessoa capaz de viver no "presente", e que pode transformar o presente em "eternidade". Criando essa eternidade do presente e atualizando o próprio conceito de tempo, fazendo presente o "quando" e o "em que momento", o artista é capaz de criar uma obra de arte, e nós, o público ao qual ele se dirige, somos envolvidos por ela, encantados diante da sua presença. Este é o toque mágico do artista, e só verdadeiros artistas são capazes de atingir esse *status*. O destino histórico de uma obra de arte se plasma perpetuamente. Sabemos que, de fato, o destino histórico das nações também se forma em certas conjunturas pelos grandes estadistas.

Espero que estas palavras não lembrem velhas controvérsias, como o argumento sobre a influência das "personalidades" na história, pois não tenciono adentrar esse tipo de discussão. Só podemos propor questões desse tipo acerca do papel das personalidades na história quando conseguimos distinguir os aspectos individuais do homem dos aspectos coletivos do ser. Ora, sabemos que essa distinção é arbitrária, não importa quem a faça.

Portanto, com base no ponto anterior, podemos declarar que o traço comum de estadistas e artistas nada mais é que a "criatividade". Quando se trata de criatividade, repetição e imitação ficam sem sentido. Ademais, a completa manifestação da criatividade numa pessoa depende da sua "tenacidade". Um grande artista captura a verdade estética com criatividade e tenacidade, e um grande estadista, do mesmo modo, ataca os problemas vitais e fundamentais de seu país com a mesma tenacidade, convicção e criatividade.

Os políticos de hoje podem dar um grande passo em direção à criação de um futuro melhor, que seja mais justo, mais humano e mais belo, para seus países e para o mundo, ajudando na realização do diálogo entre as civilizações.

Outro ponto que gostaria de discutir aqui é a relação entre ética e política ante o diálogo intercultural. Muito tem sido dito sobre essa relação em um nível teórico, mas o que nos preocupa aqui é dar a atenção adequada aos aspectos éticos da proposta para o diálogo entre as civilizações. A realização dessa proposta exige uma mudança básica nas éticas políticas. Modéstia, compromisso e envolvimento são três importantes requisitos éticos para a cristalização da proposta nos domínios da política e das relações internacionais.

Significativo, também, é o fato de o termo "diálogo", aqui, ser usado num sentido realmente estreito e estrito; é diferente de conceitos como interação cultural, intercâmbio cultural e dominação cultural. Muitos fatores, incluindo as guerras, podem ocasionar a cooperação cultural e científica, ou resultar na influência de uma cultura sobre a outra. De modo semelhante, a dominação de uma forma de cultura e civilização sobre as outras ocorre às vezes por meio de agressões abertas, inclusive com a ajuda das tecnologias de comunicação.

Porém o diálogo torna-se possível somente em determinado momento e lugar, sob certas condições psicológicas, filosóficas e éticas, e, portanto, nem todos com alguma cosmovisão e crença em algum sistema político, moral, religioso ou filosófico podem afirmar-se defensores do diálogo. Para que o verdadeiro diálogo aconteça, é necessário um conjunto de axiomas *a priori*, gerais e totalmente inclusivos, sem os quais nenhum diálogo é possível, no sentido verdadeiro do termo. Cabe às organizações mundiais, como a Unesco, conduzir a pesquisa na direção desses axiomas, divulgá-los e torná-los aceitáveis e até desejáveis para a comunidade mundial.

Esses axiomas e a proposta original de diálogo entre as civilizações não são compatíveis com os dogmas do positivismo e do modernismo, e tampouco estão de acordo com o extremo ceticismo dos pós-modernistas. Logo, uma das tarefas dos defensores da teoria do diálogo entre culturas e civilizações é refinar o núcleo central da teoria. Esse refinamento prepara o caminho para a emancipação da teoria em relação a todo dogmatismo hostil de busca da verdade e ao cinismo excessivo que aflige os pensadores pós-modernistas, que, desatentos ao sofrimento e à dor de milhões de seres humanos, consideram todo chamado em defesa da justiça e contra a opressão como uma espécie de metadiscurso, sem justificativa ou explicação filosófica.

Outra precondição para o diálogo entre as civilizações é a tolerância. Embora a tolerância seja necessária aos estágios iniciais da realização do diálogo, devemos ser cuidadosos ao distinguir a tolerância negativa da cooperação positiva. A primeira é um conceito moderno, e a outra é uma proposta apresentada pelas religiões e filosofias orientais. Para que o diálogo venha a ser universalmente aceito como novo paradigma, precisa ser capaz de elevar seu nível da tolerância negativa para a maciça cooperação positiva. Qualquer muçulmano que tenha familiaridade com o *Sagrado Corão* se lembrará do chamado divino para a participação maciça em atividades humanitárias sempre que ouvir a palavra "cooperação", especialmente do versículo "... E cooperarás em bondade e piedade...". Todos os seres humanos têm o direito de participar de atividades que darão forma ao mundo no terceiro milênio. Nenhuma nação deve ser deixada à margem por causa de certos argumentos filosóficos, políticos ou econômicos. Não é suficiente tolerar os outros, é preciso trabalhar com os outros. O mundo humano deve ser formado pela cooperação de todos os seres humanos. Embora essa noção, no final do século XX, soe como um mote humanista, ela é, atualmente, necessária para a continuidade da vida humana.

Essa cooperação não é meramente de natureza econômica e política. Para aproximar mais os corações humanos; mas não se pode estar muito esperançoso quanto a isso apenas acreditando em fundamentos filosóficos, morais e religiosos conflitantes. Para unir os corações, é preciso antes aproximar as mentes, e isso não será alcançado a menos que os grandes pensadores do mundo se esforcem para entender os principais conceitos do pensamento dos outros e, então, transmiti-los a seus povos. É necessário falar sobre os conceitos básicos relacionados ao coração e à mente; todos devem expressar o que pensam a respeito do sentido da vida, do significado da felicidade e do significado da morte. Isso pode não trazer resultados imediatos, mas sem isso qualquer acordo alcançado meramente em campos políticos e econômicos provará ser muito frágil e efêmero.

O século XX, que não tem paralelo em toda a história pela ferocidade de suas muitas guerras e por seus inúmeros casos de opressão e exploração, tem sido um produto conjunto das idéias dos filósofos e dos atos dos estadistas. Não seria possível pôr um fim aos eventos sangrentos e aterradores do século sem uma mudança básica no pensamento político e sem mudar o estado atual das relações internacionais, substituindo-o por um novo paradigma, como o diálogo entre culturas e civilizações.

A fé religiosa, que nada mais é do que dar uma resposta afirmativa, do fundo do coração, ao chamado divino, não deve ser considerada como algo imutável e estático. Também nosso entendimento e nossa interpretação da religião não deveriam estar em oposição ao espírito da fé, porque essa disparidade será um obstáculo no caminho do diálogo entre as religiões, que é o primeiro passo para a realização de qualquer paz viável. Assim como da terra obtemos nosso pão e nossa água de cada dia, deveríamos ser capazes de conseguir do "céu" nossa fatia diária de fé, vívida e fresca. A fé deve fluir como um rio para existir; há pouca esperança para um pântano estagnado. A fé só pode trazer os frutos da moralidade e a da paz quando flui constantemente. Apenas com uma corrente sempre renovada de fé podemos amar o mundo e nossos semelhantes.

Outro ponto, ainda sobre a relação entre paz e diálogo, é que há somente uma forma especial de paz: a que se relaciona com o diálogo. A chamada *pax romana*, também conhecida como "paz hegemônica", é algo que requer "força". A viabilidade dessa paz depende da quantidade de força que a respalde e se essa paz serve a seus interesses; enquanto a paz obtida pelo diálogo e pela maturidade racional humana dependerá de sua própria razão de ser, assim como do desenvolvimento psicológico e racional do homem. Já que o retrocesso é quase impossível no desenvolvimento racional, essa paz será definitivamente de longo prazo e de amplo espectro, cobrindo campos como a paz entre as culturas, a paz entre as religiões, a paz entre as civilizações e também a paz entre o homem e a natureza.

Hoje, criar uma paz duradoura entre o homem e a natureza deve ser prioridade máxima. A relação ancestral entre o homem e a natureza, na qual o homem amou a natureza, beneficiou-se de sua generosidade e encontrou conforto no seu seio, foi substituída simplesmente pela exploração e destruição da natureza. No decorrer de milhares de anos, no período que se estende desde os tempos pré-históricos até a era moderna, nunca o homem olhou para a natureza apenas como uma "fonte de energia".

Isso não quer dizer que o homem não tenha se beneficiado da terra e dos seus frutos, ou que não estivesse comprometido em desenvolver sua vida social e civil, e que não tenha feito um número considerável de mudanças em seu entorno natural para adaptar-se à natureza e adaptá-la às suas necessidades. É claro que ele tem feito tudo isso, mas nunca antes a natureza foi reduzida a um tal estado de completa "coisificação".

Em todas as tradições e culturas, entre todos os grupos étnicos e nações do mundo, rituais antigos sempre foram praticados em certos momentos e lugares de forma a coincidir com eventos naturais. Mas o que veio a ser conhecido como *Entzauberung*, ou "desencanto", na era moderna, não só destruiu os antigos rituais e o relacionamento do homem com a natureza como também criou uma situação na qual o homem não mais observa o mundo e seu conteúdo como um todo significante, determinado e orgânico. O homem não está mais em "comunhão" com a natureza; o oceano, as montanhas, as florestas e os desertos são agora simplesmente uma massa de materiais inertes com diferentes formas. Esta ruptura das relações íntimas e vitais com a natureza levou a um enfraquecimento similar das relações entre os homens. O diálogo entre culturas e civilizações, que se deve concentrar nos problemas mais importantes e urgentes que afligem toda a humanidade, deverá, naturalmente, colocar o problema da relação do homem com a natureza no topo da sua agenda.

O recomendado diálogo e entendimento entre culturas e civilizações levará a uma vívida discussão dos atuais acontecimentos globais. Hoje, o homem anseia por justiça, paz, liberdade e segurança, exatamente como sempre ansiou. O diálogo entre as civilizações precisa de paz para ser realizado, e, uma vez concluído, ajudará a sustentar essa paz.

Quando falamos do diálogo como um pré-requisito para a paz, referimo-nos a um tipo de diálogo que é diferente da negociação diplomática. É um fato bem conhecido que, em toda a história, houve ocasiões em que guerras e negociações coexistiram. Com o diálogo, não queremos aludir aqui ao uso da linguagem diplomática para promover interesses políticos e econômicos, ou promover a vitória sobre o inimigo para logo depois continuar a guerra de outra forma. O diálogo entre civilizações não pode acontecer sem boa vontade, simpatia e afeto, sem um esforço genuíno para o entendimento despojado do desejo de conquista.

Alguns podem achar que o diálogo entre culturas e civilizações provocará, eventualmente, desordem e entropia no mundo. Não se pode negar que essa é uma possibilidade. Mas, em primeiro lugar, é possível reduzir ao mínimo a velocidade e a intensidade de tal eventualidade por meio da esperança de uma sólida educação e treinamento. Em segundo lugar, devemos lembrar que a entropia, quer gostemos ou não, é um inevitável no curso da existência humana. Lembremos que a opção pela morte, degeneração e desintegração cultural não é melhor que a opção pela vida e pela vitalidade cultural. E é uma opção que terá a sua parcela de desordens e provações.

A proposta do "Diálogo entre Civilizações" não se desenvolverá sem levar a cabo um completo estudo das raízes das guerras e dos conflitos. Esse estudo dos conflitos não pode ser empreendido isoladamente, sem levar em conta a situação atual do mundo. As guerras, freqüentemente, têm profundas raízes psicológicas, em cujo estudo psicólogos e psicanalistas estão há muito envolvidos. No entanto, elas eclodem também devido a fatores políticos e econômicos. Com o terrível abismo existente entre ricos e pobres em várias comunidades e países do mundo, como podemos, ingenuamente, pedir paz e compreensão mútua? Como podemos clamar por diálogo se essa desigualdade persiste sem que nenhum passo fundamental seja dado para ajudar os despossuídos do mundo? Quando, na véspera do terceiro milênio, 30% da população mundial vive numa miséria abjeta, como podemos falar de paz e segurança e esquecer a justiça? Mesmo que o Ocidente decida salvar-se sozinho e esquecer os povos do resto do mundo, será obrigado a ajudar os outros para garantir a própria segurança. Por vários motivos sociais, políticos e técnicos, todas as pessoas que vivem no mundo atual estão no mesmo barco. Resistir às tormentas e chegar a um porto seguro será para todos os passageiros, ou para nenhum. Essa afirmação pode parecer, hoje, um tanto exagerada, mas amanhã será mais fácil entendê-la. No limiar do terceiro milênio, o destino de nosso mundo é comum a todos. Para que esse destino seja justo e feliz, o único curso de ação é o diálogo entre várias culturas e civilizações. Devemos lembrar que, embora no século XX a espada tenha sido brandida, e, a cada golpe da lâmina, alguns tenham ganhado e outros perdido, o próximo século deverá girar em torno do diálogo. Do contrário, essa espada ressurgirá como uma arma de dois gumes que não poupará ninguém, e é bem possível que os poderosos fomentadores da guerra estejam entre as suas primeiras vítimas.

Obrigado, e que Deus abençoe a todos.

CAPÍTULO 12

Discurso na 53ª Assembléia Geral da ONU*

Pelo Nome de Deus, o Beneficente, o Misericordioso

A luz da existência humana surgiu com o anseio do homem pela salvação. A essência da mensagem dos profetas divinos e o conteúdo dos ensinamentos dos sábios foram dirigidos principalmente à salvação humana. Ao longo da história, dolorosas privações e misérias têm afligido os seres humanos: o maltrato às mulheres, homens e crianças escravizados pelos poderes dominantes; governantes insanos e perversos que têm privado de compaixão e benevolência suas próprias nações. Assim foi que a lei virtuosa e o bom governo se foram desvanecendo na história humana. Paradoxalmente, e muito freqüentemente, o livre arbítrio e a liberdade de pensamento e ação têm sido frustradas e sufocadas em nome da salvação, e freqüentemente também a salvação e sido apresentada como se favorecesse a eliminação de toda e qualquer restrição aos insaciáveis desejos humanos. Assim, a razão e o amor foram sacrificados no altar da leviandade e do hedonismo. Muitas vezes, a liberdade tem sido pisoteada em nome da justiça; outras tantas, a justiça tem sido proscrita

* Discurso proferido na Assembléia Anual da Organização das Nações Unidas, em 21 de setembro de 1998, na cidade de Nova York.

em nome da liberdade. O resultado foi a era em que a humanidade foi privada da justiça com liberdade e da liberdade com justiça. Há somente poucos séculos o conhecimento genuíno foi reconhecido como fonte de poder, em vez de mero agente sob seu controle. Desde então, o conhecimento, em vez de servir à salvação e exaltar o caráter humano, tem sido usado como instrumento nas mãos daqueles cujo único objetivo é multiplicar seu estreito interesse utilitário.

Apesar do magnífico progresso, a humanidade tem sofrido discriminações e angústias por séculos. Ainda há entre nós sobreviventes que podem dar testemunho da incalculável destruição causada pelas duas Guerras Mundiais. E, apesar do nascimento da Organização das Nações Unidas — uma conquista positiva para a humanidade —, a verdadeira paz baseada na justiça continua sendo rara. Particularmente desesperadora é a situação dos países do mundo subdesenvolvido, onde tantos sofrem com a fome, doenças e analfabetismo, e alguns permanecem à mercê de governantes que sequer se preocupam com as aparências, e menos ainda em respeitar as normas democráticas ou ter apoio popular. E é assim que, freqüentemente, tentam compensar a ausência de legitimidade e representatividade popular com o apoio e a dependência de potências estrangeiras cujo único propósito é a dominação para satisfazer os próprios interesses. Governos opressivos e dependentes negam a seus povos a oportunidade de experimentar a democracia. Pela perpetuação da intimidação e do terror na sociedade, promovem uma cultura de violência que inadvertidamente leva seus opositores à mesma prática. As potências que geram e nutrem esses regimes não deveriam, portanto, escapar à condenação. Os principais responsáveis são, aqui, aquelas potências cujos serviços de inteligência se orgulham de seus obscuros recordes de derrubada de governos populares e apoio aos impopulares. Esta imagem de nosso mundo é de fato horrenda e repulsiva. Até o dia em que os verdadeiros sábios arrebatem as rédeas do poder das mãos dos ignorantes e levianos, esta imagem não poderá ser revertida completamente.

No entanto, em minha opinião, apesar de todo obscurantismo e destruição, ainda se pode discernir a beleza genuína nas camadas mais profundas da História, e que, em geral, a vida humana tem florescido material e espiritualmente. As lutas anticoloniais e os movimentos de independência de muitas nações, no século XX, são um exemplo disso. A derrocada da ordem mundial bipolar na última década do século passado e a velocidade com que o mundo marcha em direção à diversidade, com a renovada afirmação de identidade por parte das nações que clamam por igualdade na arena internacional, são conquistas significativas. A fantasia de um mundo unipolar governado por uma única potência não é mais que uma ilusão, que indica o fracasso de seus sustentadores em acompanhar a marcha da História. Estou seguro de que as nações poderosas, como o povo norte-americano, não aceitarão que seu bom nome, seu potencial e prestígio nacional sejam explorados pelos políticos a serviço da fantasia de um mundo unipolar, em nome de interesses materiais, facciosos e estreitos de uns poucos. A opinião pública no Ocidente, que tem evoluído e cada vez mais se inclina a apoiar as relações pacíficas baseadas no respeito mútuo, corrobora nossa afirmação.

Agora, sr. Presidente [da Assembléia Geral da ONU] e distintos participantes, permitam-me falar como um homem do Oriente, lugar de origem de grandes civilizações e terra natal dos Profetas Divinos: Abraão, Moisés, Jesus e Muhammad (a Paz esteja com todos eles). Venho da nobre terra do Irã, representando uma grande nação, célebre por sua civilização milenar e por sua contribuição na fundação e expansão da civilização islâmica; nação que sobreviveu aos fortes ventos do despotismo, confiando em sua riqueza humana e cultural; nação pioneira, no Oriente, no estabelecimento de uma sociedade civil e de governos constitucionais no curso da história contemporânea, ainda que às vezes tenha vacilado devido às constantes interferências estrangeiras; nação que assumiu a vanguarda das lutas pela independência e contra o colonialismo, apesar de seu movimento nacional ter sido esmagado por um golpe de Estado [em 1963] orquestrado no estrangeiro. Uma nação que porta o estandarte da revolução popular, que não venceu pela força das armas ou por um golpe de Estado, mas destronando um regime despótico pelo poder da palavra e do esclarecimento. No curso dessa nova experiência, nossa nação suportou oito anos de uma guerra imposta, pressões, sanções e falsas incriminações. E também foi vítima do terrorismo, esse fenômeno nefasto e abominável de nosso tempo.

Hoje, a nação iraniana recorre a seu passado para contemplar um amanhã melhor, e desafia as tendências reacionárias, amparada pelos princípios e ideais enraizados em sua herança religiosa, nacional e revolucionária, e beneficiando-se das conquistas positivas da civilização contemporânea. Caminha, assim, provando, por vezes equivocando-se, rumo a um futuro promissor. A Revolução Islâmica do povo iraniano foi a vitória da razão sobre a coerção e a opressão; e uma revolução que recorreu à lógica na fase de desintegração monárquica está, por certo, muito mais habilitada a dialogar e argumentar na fase da construção. Por isso, o povo iraniano busca o diálogo entre as diferentes civilizações e culturas, em vez de promover o conflito entre elas. Desta tribuna das Nações Unidas, anuncio que a humanidade, apesar de todas as calamidades e adversidades, se encaminha à emancipação e à liberdade. Esta é a inalterável providência divina e o curso da História.

Sr. Presidente, a palavra "história" precede a "filosofia", e o homem é o pilar da história. A própria história é o reflexo da luz do Supremo Criador nas diversas facetas e dimensões da existência humana. Por isso, esta se apresenta como uma entidade única e universal, ainda que de natureza diversa. Toda vez que esta entidade assume uma nova aparência, anuncia-se uma nova era. Nossa valorização da História deve-se ao fato de vermos a humanidade como seu eixo e pilar. Valendo-me de uma descrição de Saadi,[71] que a emprestou de um dito Profeta do Islam, "os seres humanos constituem distintos órgãos de um mesmo corpo". Muito além da biologia ou da psicologia, compreender os seres humanos requer uma visão filosófica e reflexiva do homem e sua história. Uma vez que "Deus criou o homem com Sua própria mão", o fez "a Sua imagem" e nele soprou "Seu próprio Espírito", a humanidade não é senão uma única entidade, e o mesmo ocorre com a história humana. A "mão de Deus" concede à história do gênero humano a vontade e a liberdade de escolher; a "imagem de Deus" dota-o de cultura, espiritualidade e liberdade; e o "Espírito de Deus", de vida e vitalidade. E é assim que os homens adquiriram história, cultura e liberdade. Poderíamos, aqui, postular que todos os seres humanos não apenas possuem uma e mesma origem e compartilham uma história comum e integrada, mas que também têm um mesmo fim ou *télos*: o *télos*, ou finalidade, da história não é outro que essa cultura espiritual e seu requisito inalienável de genuína liberdade humana. Quer se aceite ou não que o homem está condenado a repetitivos ciclos cósmicos, ou que está preso a certos momentos ou épocas da história; quer se sustente ou não que a história se move por si mesma, ou é conduzida pelos impulsos humanos, ou pelos meios de produção, ou por heróis sobre-humanos, todos podem concordar que somente

---

71. Musharifuddín Ibn Muslih, conhecido como Saadi de Shiraz (1213-1283), formou-se teólogo e místico na famosa madrassa Nizamiya, de Bagdá, onde conheceu a obra de al-Suhrawardi. Considerado um dos três grandes poetas clássicos do Irã e precursor de Hafiz, conduziu ao apogeu a arte do gazal, composição poética semelhante à *casida*. Em *O bosque perfumado* (*Bustan*), reflete ao longo de dez capítulos sobre a justiça, a eqüidade dos príncipes, o domínio de si, a meditação piedosa e o amor físico e místico. Seu *O jardim das rosas* (*Gulistan*), escrito por volta de 1258, é uma obra muito popular da literatura persa em prosa, que serviu de modelo a numerosos poetas persas, turcos e indianos, traduzida na Europa do século XVIII (cf. Saadi, *Gulistan: o jardim das rosas*, São Paulo: Attar Editorial, 2004).

o eterno suporte da fé é capaz de quebrar os velhos e novos grilhões da humanidade e deter o ciclo perpétuo e reiterativo, libertando eventualmente o homem das cadeias do determinismo histórico; ainda assim, somente a brisa vivificante da liberdade pode oferecer fé e espiritualidade à humanidade. É nesse sentido que se poderá entender que "... o universo, não morarei nele se ele não mora em mim", e que "... quem quer que diga à montanha 'move-te e lança-te ao mar' e não tenha dúvidas em seu coração mas creia que as coisas que diz acontecerão",[72*] esse tem a verdadeira fé. Mediante essa compreensão da liberdade, é possível defender os princípios da dignidade humana contra a dominação política, e a virtude e a fé contra os golpes do desespero e do niilismo.

A história do gênero humano é a história da liberdade, e somente uma interpretação que a mostre como palco da liberdade poderá reverter o passado em benefício da humanidade. Levando em conta todos os sistemas filosóficos que tentaram atribuir significados, direções e leis ao curso da história, constatamos que a história humana está entrelaçada com a história da liberdade, pois observamos que, ao libertar-se das restrições impostas pela exploração e escravidão social, e das urgências de seus instintos animais como a violência e a selvageria, o homem se aproxima da verdade e da justiça inerentes à natureza humana. Somente a partir desse momento o devir humano se converterá na gloriosa história da Verdade e da Justiça. Esta poderia ser outra expressão da conhecida doutrina religiosa do messianismo. Quer reivindiquemos uma avaliação empírica ou indutiva da História, quer uma intuitiva, a maioria dos pensadores reconhecerá que a essência da humanidade floresceu e que a maioria dos véus de ignorância foram descerrados da mente do homem.

---

72. Citação do Evangelho segundo Marcos 11:23 : "porque em verdade vos afirmo que, se alguém disser a este monte: Ergue-te e lança-te no mar, e não duvidar no seu coração, mas crer que se fará o que diz, assim será com ele". (N.E.)

Usei deliberadamente o termo "florescer" em lugar de outros mais comuns, tais como "progresso histórico", para enfatizar que, qualquer que seja a escola filosófica que sigamos, ainda podemos compartilhar uma mesma compreensão desse conceito geral e universal do devir humano. O estabelecimento e a continuidade das Nações Unidas é uma confirmação do progresso do mundo e da sociedade humana. O fato de hoje, sem muita discussão, reconhecermos que, em lugar da guerra e do derramamento de sangue, podemos (ou melhor, devemos) recorrer ao diálogo, não foi algo que conseguimos facilmente. Como se a história da humanidade tingida de sangue não constituísse um antecedente definitivo para essa proposição aparentemente simples. Logo, e enquanto as potências imprudentes possam fazer desaparecer flores e árvores, e eliminar o sorriso e a esperança da face da terra com um golpe de sua estupidez e crueldade, é ainda prematuro festejar o triunfo do *Lógos* sobre a espada. O século XX não só foi testemunha de terríveis manifestações de violência e de sofrimento humano pelas mãos dos colonialistas e da injustiça sem precedentes por parte de seus herdeiros, mas também do surgimento e queda de regimes totalitários. Esperemos que no século XXI o recurso da força e da violência já não seja enaltecido, e que a essência do poder político seja a compaixão e a justiça, manifestada expressamente no "diálogo entre as civilizações".

A questão é: como as Nações Unidas podem empreender as medidas necessárias para responder a esse clima global que foi semeado, e que impacto terão essas medidas para mudar o curso da vida humana que anseia por salvação? Gostaria de propor, em nome da República Islâmica do Irã, que as Nações Unidas, como primeiro passo, designem o ano de 2001 como o "Ano do Diálogo entre Civilizações", com o maior desejo de que, por meio desse diálogo, tenha início a construção de uma justiça universal. Entre as maiores conquistas deste século está o reconhecimento da necessidade e importância do diálogo e a rejeição do uso da força, a promoção de acordos nos âmbitos cultural, econômico e político e o fortalecimento das bases da liberdade, da justiça e dos direitos humanos. Estabelecer e ampliar o entendimento, em nível nacional e internacional, é imprescindível para o diálogo entre civilizações que representam distintos enfoques, inclinações e antecedentes. Se a humanidade, no umbral de um novo século e milênio, dedicasse todos os esforços para institucionalizar o diálogo, substituindo a hostilidade e o confronto pelo discurso e o entendimento, isto seria um legado inestimável para as futuras gerações. E, analogamente, é necessário que nós, como membros das Nações Unidas, repensemos a história da formação desta organização, para reformá-la e melhorá-la mediante um intercâmbio de opiniões. A ONU tomou forma em uma época obscura da história, quando muitos de seus membros ainda experimentavam a amargura das abomináveis condições do regime colonial. O resultado disso foi que a nova organização refletiu naturalmente o domínio de uns poucos poderosos. Hoje as coisas mudaram, e se apresenta a oportunidade de reestruturar essa organização, particularmente seu Conselho de Segurança. Gostaria de citar aqui as palavras do líder da República Islâmica do Irã, em seu discurso na "Oitava Reunião de Cúpula da Organização da Conferência Islâmica", celebrada em Teerã, sobre a necessidade de os países islâmicos, que representam mais de um bilhão e duzentos milhões de pessoas, terem lugar permanente no Conselho de Segurança, com os mesmos privilégios dos atuais membros permanentes. É chegado o momento de rechaçar, de comum acordo, o discriminatório veto privilegiado, e assim dar um novo passo rumo ao reconhecimento da justiça e igualdade de direitos entre todos os Estados membros.

Senhor Presidente, distintos delegados,

Vamos todos dar as mãos solidariamente contra o genocídio, a agressão e a humilhação.

NOTA BIOGRÁFICA

O hojjatoleslam Seyed Muhammad Khatami, Presidente da República Islâmica do Irã, entre agosto de 1997 e agosto de 2005, nasceu em Arkadan, província central de Yazd, no Irã, em 1943. Filho de família religiosa de classe média, seu pai, o aiatolá Seyed Ruhollah Khatami, foi um famoso sábio e destacado jurisconsulto e místico muçulmano.

Ao completar seus estudos elementares na cidade natal, ingressou na Escola de Teologia de Qom, cidade que é a sede religiosa do Irã, em 1961. Mais tarde, obteve o Bacharelado em Filosofia na Universidade de Isfahan e, em seguida, regressou para completar seus estudos religiosos superiores no Seminário de Qom. Em 1970, cursou a pós-graduação em Ciências da Educação na Universidade de Teerã, onde obteve o título de Mestre (MA). Retornou, mais tarde, aos seus estudos de filosofia no Seminário de Qom.

Iniciou sua militância política na Associação de Estudantes Muçulmanos da Universidade de Isfahan, desenvolvendo estreita relação de trabalho com o filho mais jovem do Imã Khomeini, Seyed Ahmad Khomeini, e com o mártir Muhammad Montazeri na organização de debates religiosos e políticos.

Envolveu-se, então, na campanha contra o Xá do Irã, preparando, reproduzindo e distribuindo panfletos e discursos proferidos por aquele que seria o fundador da República Islâmica, o falecido Imã Khomeini.

Alguns meses antes da vitória da Revolução Islâmica, em fevereiro de 1979, substituiu o aiatolá Muhammad Hussein Beheshti no cargo de diretor do Centro Islâmico de Hamburgo, na Alemanha.

Tornou-se, depois, representante dos distritos de Ardakan e Mebod em seu primeiro mandato parlamentar. Em 1981, foi designado pelo Imã Khomeini diretor do Instituto de Imprensa Kayhan. Durante a guerra iniciada pelo Iraque (1980-1988), assumiu diversos cargos, tendo sido subchefe e depois chefe do Comando Conjunto das Forças Armadas e presidente do Centro de Operações de Propaganda de Guerra.

Nomeado pela primeira vez Ministro da Cultura e Orientação Islâmica, em 1982, voltou a ocupar este mesmo cargo entre 1989 e 1992, por designação do Presidente Hussein-Ali Akbar Hashemi Rafsanjani. Após sua renúncia ao ministério, em 1992, foi designado Conselheiro Cultural do Presidente e Diretor da Biblioteca Nacional do Irã.

Em 1996, foi admitido como membro do Conselho Supremo da Revolução Cultural pelo Líder da República Islâmica do Irã. Tornou-se também membro da Sociedade dos Clérigos Militantes, a qual presidiu.

Eleito como 5º Presidente da República Islâmica do Irã para o período 1997-2001, em 23 de maior de 1997, obteve 20,07 milhões de votos (quase 70% do total), principalmente dos eleitores mulheres e dos jovens. Reeleito para um segundo mandato, em 2001, obteve quase 78% do total de votos.

Muhammad Khatami é considerado o primeiro presidente reformista da República Islâmica do Irã; sua campanha teve como foco o respeito à lei, a democratização e a inclusão de todos os iranianos no processo de decisão política.

Durante seu mandato, no entanto, suas políticas de reforma levaram a contínuos confrontos com os próceres islâmicos conservadores e da linha-dura, inclusive aqueles que controlavam poderosas organizações governamentais como o Conselho dos Guardiões, cujos membros são designados por seu

Líder Supremo, o aiatolá Seyed Ali Khamenei. Khatami perdeu a maioria desses confrontos e, ao final de seu segundo mandato, muitos de seus seguidores ficaram desiludidos.

A política econômica de Khatami, durante seus dois mandatos, deu continuidade aos compromissos do governo anterior com a industrialização e, na política macroeconômica, prosseguiu com as políticas liberais estabelecidas por seu antecessor Rafsanjani, na execução do primeiro plano qüinqüenal de desenvolvimento econômico (1990-1995). Sua equipe econômica foi capaz de obter avanços na solução de muitos problemas econômicos, mas muitos outros ficaram por resolver. As dificuldades restantes podem ser atribuídas à capacidade limitada da estrutura da economia e da sociedade e, também, à luta pela poder.

A política externa, durante sua gestão, entrou em nova fase, abandonando o confronto em favor da reconciliação. A visão de mundo e a concepção de política externa do Presidente Khatami eram muito diferentes daquelas de seu antecessor. Para ele, não havia um "confronto de civilizações", ao contrário, ele empenhou-se em favor de um "diálogo entre civilizações". A política de distensão de Khatami criou uma atmosfera favorável à expansão das relações com o mundo e, conseqüentemente, a um melhor relacionamento com as principais potências mundiais. As relações com os Estados Unidos, não obstante, continuaram prejudicadas pela suspeita e desconfiança mútuas, e foram praticamente inviabilizadas pela política de George W. Bush.

Como resposta à teoria do "Confronto de Civilizações", do cientista político Samuel Huntington, Khatami formulou o "Diálogo entre Civilizações", conceito que ganhou crescente apoio internacional, culminando com a proclamação, pela Organização das Nações Unidas, do ano 2001 como "Ano Internacional do Diálogo entre Civilizações".

Ainda, durante os dois mandatos de Khatami, Teerã intensificou os esforços para desempenhar um maior papel na Região do Golfo Pérsico e mesmo além.

Khatami encontrou-se com muitas pessoas influentes no cenário mundial, incluindo o Papa João Paulo II e outros chefes de Estado. Apesar de desmentidos posteriores, chegou a estabelecer conversações com o Presidente de Israel, Moshe Katsav, ao lado do qual se sentou durante os funerais do Papa João Paulo II. Este teria sido o primeiro contato político entre Irã e Israel, desde o rompimento de relações entre os dois países, em 1979.

Na frente política doméstica, apesar de alguns sucessos na realização das promessas de campanha de tornar a sociedade iraniana mais tolerante, democrática, aberta e regida pela ordem legal, a quase inexistente autoridade do Presidente sobre instituições estatais importantes como o Judiciário e as Forças Armadas, ao lado da supremacia do Conselho dos Guardiões, segundo ele mesmo avaliou, impediu melhores resultados. Inúmeros atores importantes do movimento de reforma e alguns de seus principais aliados foram colocados na prisão, pelo Judiciário, durante seus mandatos, sob a acusação de insulto aos valores islâmicos.

Além do farsi, sua língua materna, Khatami fala fluentemente o árabe, o inglês e o alemão. Publicou vários livros e artigos sobre os mais diversos campos do conhecimento. Entre estes se destacam: O medo da onda (livro,1993) e Do mundo da cidade à cidade do mundo (livro, 1994); e artigos como "A quem pertence o governo (Velayat)? (1979) e, em inglês, "Tradição, Modernidade e Desenvolvimento" (1996).

Estudioso da literatura filosófica e mística do Islam, dedicou-se particularmente ao estudo das obras de al-Farabi, Mulá-Sadra, Ansari e Hafiz. Passou a dedicar-se cada vez mais à filosofia política, tornando-a seu principal campo de pesquisa. Influenciado pelo grande filósofo político iraniano Javad Tabatabaei, Khatami avançou pelo mesmo campo de estudos deste: a adaptação por al-Farabi, a partir de vertente platônica, da filosofia política grega. Khatami publicou um livro de filosofia política e foi por algum tempo livre-docente na Universidade de Tarbiat Modarres, onde lecionou filosofia política.

Muhammad Khatami casou-se em 1974, aos 31 anos, com Zohreh Sadeghi. Tiveram duas filhas, Leila (n. 1975) e Narges (n. 1981) e um filho, Emad (n. 1989).

Em setembro de 1975, foi designado pelo Secretário Geral das Nações Unidas Kofi Annan membro da Aliança das Civilizações. Neste mesmo mês, aposentou-se, após 29 anos de serviços públicos.

Em 14 de novembro de 2005, Khatami fez uma convocação a todos os líderes religiosos para lutar pela abolição dos armamentos atômicos e químicos.

Em 30 de janeiro de 2006, inaugurou o Centro Internacional do Diálogo entre Civilizações (www.dialoguecenter.org), organização não governamental com escritórios no Irã e na Europa.

Presentemente, vive no Irã, em intensa atividade, incluindo viagens para conferências, colóquios e seminários em diversas partes do mundo. No mês de fevereiro passado, teve destacada atuação na Conferência da Malásia sobre o Islam e o Ocidente de 2006.

Este livro foi composto em Berkeley Oldstyle, texto 11/13,5, Scala Regular nos títulos e impresso pela gráfica Palas Athena em papel chamoix book 90 gr. para a Attar Editorial em junho de 2006.